ROLANT O FÔN
Y Bardd-Gyfreithiwr

G000016676

Óýÿöì¢ÿ

ROLANT O FÔN
Y Bardd-Gyfreithiwr

— EMLYN RICHARDS —

Gwasg
Gwynedd

Argraffiad Cyntaf — Gorffennaf 1999

© Emlyn Richards 1999

ISBN 0 86074 157 5

Cyhoeddwyd ac Argraffwyd
gan Wasg Gwynedd, Caernarfon

CYFLWYNEDIG I
JENNIE ROLANT JONES
ER COF AM GWAWR

Cynnwys

Rhagair

Mae rhai cymeriadau, er na fu inni erioed eu cyfarfod yn y cnawd, y teimlwn ein bod yn eu hadnabod yn iawn. Un o'r cymeriadau hynny yw Rolant o Fôn. Er na chyfarfûm i erioed ag ef rwy'n adnabod y dyn, gwelaf ei wyneb a chlywaf ei lais, bron nad wy'n arogli baco ei getyn! Gwnâi argraff neilltuol iawn ar bawb a fyddai yn ei gwmni. Yr oedd ganddo'r ddawn neu'r bersonoliaeth honno i ddod yn agos iawn at bobl heb dresmasu. Yn wir, yr oedd Rolant yn hoffus gan bawb, yn berson carismataidd, cyn geni'r gair hwnnw! Deil ei gyfoedion i gofio'i ffraethineb mewn llys barn, ei englynion mewn ymryson a'i gwmni diddan ar daith ac ar faes eisteddfod.

A ninnau'n croesawu'r Eisteddfod Genedlaethol i Fôn eleni, pa gyfle gwell i anrhydeddu'r bardd-gyfreithiwr hwn, Rolant o Fôn? Y mae hanner can mlynedd er iddo ennill y Gadair yn Eisteddfod Dolgellau 1949. Diolch i Dewi Jones am gynnwys agoriad yr awdl enwog honno wrth groesawu'r genedl i'r Eisteddfod ym Môn 1999.

> Hen wyf a chadarn hefyd
> Hŷn na balch awenau byd.
> Huliai aur fy mhileri
> Cyn bod gwawr uwch llawr y lli.

Ufuddheais i sawl cais i gasglu'r ysgubau hyn o atgofion gan bobl a'i cofiai. Bu'n bleser anghyffredin. Cefais bob help a chymhelliad gan ei briod Jennie Rolant Jones, Morfudd y ferch a Bob ei gŵr. Cefais rwydd hynt i droi a throsi ymhlith papurau a llythyrau Rolant. Diolch yn fawr iawn i T. D. Roberts, cyfaill oes iddo. Bu Annie Hughes, Drws y Coed o Fro Hwfa hefyd yn rhannu'i hatgofion am Rolant yn blentyn bychan swil yn Ysgol

Bodffordd a bu Ann Venables a Staff yr Archifdy, Llangefni yn amyneddgar iawn. Gwerthfawrogaf y cyfle prin a gefais i holi rhai o dwrneiod Môn! Difyr tu hwnt fu'r sesiynau hynny efo R. Gwynn Davies, Waunfawr, Dafydd Cwyfan Hughes, Caergybi, George Alun Williams, Y Fali ac Ieuan Redvers Jones, Llangefni. A throi o'r gyfraith at y beirdd, diolch i'r Prifardd Selwyn Griffith a Glyndwr Thomas. Cefais hefyd olwg ar gofnodion Y Ford Gron, Amlwch o'r dechrau yn ogystal â golwg ar fideo o hanes Clwb Gwerin Cefni — diolch i'r ddau Ysgrifennydd.

EMLYN RICHARDS

Bro Hwfa

Mae yna swyn rhyfeddol mewn ambell enw lle ym Môn. Un o'r lleoedd hynny yw Rhostrehwfa — trên o enw yn cario sawl ystyr. Hon yw'r ardal rhwng tref Llangefni a phentref Bodffordd ac yn byseddu i ddau blwyf go bwysig, Cerrigceinwen a Llangristiolus gyda phlwyfi Heneglwys a Threwalchmai yn y cwr arall. Rhedai llwybr y goits fawr gyda chwr yr ardal ar ei ffordd o Benmynydd i Gaergybi neu o Gaergybi i Benmynydd ar ei ffordd i Lundain. Yn ddiddorol iawn, 'Corn Hir' yw enw'r ardal sy'n gwahanu Trehwfa a Llangefni. Enw ar dŷ annedd oedd yn y lle cyntaf ond fe gafodd ei ymestyn i ddynodi ardal a chymuned. Yn ôl yr ysgolheigion, tarddai'r enw o natur corn y tŷ ar un adeg (cyn 1913). Ond myn rhai o drigolion hynaf yr ardal mai cyfeiriad yw'r enw at gorn y goits fawr ac er mwyn profi'r pwynt adroddant hen hanesyn. Hen biwritan cul oedd Hugh Roberts yr Oriadurwr, a rhybuddiai'r saint a'r meddwon mor anodd oedd lladd yr arfer o ddiota. Adroddai am hen geffyl rhyfel a oedd yn ddall ac a drowyd i bori i gae wrth y Gwyndy. Bu caniad corn y goits yn foddion i atgoffa'r hen geffyl o faes y gad ac fe ruthrodd yn orwyllt yn ei ddallineb. Mae'n amlwg fod caniad y corn yn ddigwyddiad o bwys yn yr ardal.

Dyma'r fro a ddylanwadodd mor drwm ar gerddi Rolant o Fôn yn ei febyd. Yma y ganwyd ac y magwyd ef, ac arhosodd ei dylanwad arno trwy gydol ei oes. Mae hi'n anodd penderfynu pa un ai cymeriadau sy'n gwneud ardal ynteu ardal sy'n gwneud cymeriadau. Mae peth o'r ddau yn wir am Rolant a Rhostrehwfa.

Tyddynwyr oedd y rhan fwyaf o drigolion y Rhos ac yn berchnogion eu tyddynnod, ac felly doedd dim rhaid dilyn y meistri tir yn wasaidd. Yr oedd elfen gref o annibyniaeth barn yn perthyn i'r tyddynwyr hyn. Cafodd Ymneilltuaeth ddaear dda yma yn gynnar iawn. Onid yng nghartref John Owen — 'Caeau Môn' ym mhlwyf Cerrigceinwen — y cychwynnodd yr Eglwys Annibynnol gyntaf ar Ynys Môn yn 1744? Cysylltir beirdd a llenorion o gryn fri â'r tyddynnod hyn. Daw Ty'n Llidiart ag enw Richard Davies inni, neu fel y'i gelwid gan bawb, Syntax Môn. Yr oedd Syntax yn ŵr hynod o ddiwylliedig; darllenai bob cylchgrawn y câi afael arno a byddai raid i'w wraig druan ffarmio'r tyddyn. Nid yn unig yr oedd yn ddarllenwr mawr ond cyfrannai'n gyson i gylchgrawn ei enwad hefyd, sef *Y Bedyddiwr*. Meiddiai Richard Davies ateb a beirniadu esboniadaeth Syntax Morgannwg yn *Y Bedyddiwr*, ac o ganlyniad i hyn y glynodd yr enw 'Syntax' wrtho. Ei frawd-yng-nghyfraith Thomas Stirrup a roes y tir i adeiladu Capel Pisgah yn 1896; cyn hynny cynhelid Ysgol Sul yn sgubor Ty'n Llidiart. Bu John Davies, brawd Richard, yn fferyllydd yng Nghaergybi ac yn weinidog ar un o Eglwysi Beddyddiol y dref.

Tyddyn arall o gryn bwys yn yr ardal oedd Trehwfa, cartref Dafydd Thomas. Yr oedd Dafydd Thomas yn ffermio ac yn bregethwr a gweinidog cynorthwyol gyda'r Bedyddwyr. Bu'n weinidog am gyfnod yn y Bela ac o bryd i'w gilydd yn gofalu am y praidd yng nghapel hynafol Cil-dwrn yn Llangefni. Yr oedd yn bregethwr hynod o ddawnus a phoblogaidd. Pan âi i'r tir mawr i bregethu'n achlysurol fe'i cyferchid fel David Thomas ac weithiau yn Mr Thomas. Rhyw sbrigyn o bregethwr cynorthwyol oedd ei gymydog hefyd. Doedd Owen Evans yn fawr o ffermwr, a llai fyth o bregethwr. Byddai Owen yn swnian yn barhaus am gael benthyg pregeth gan Dafydd Thomas ac fe fanteisiai hwnnw ar ei gyfle i gael tâl amdani mewn gwasanaeth ar y fferm. Cytunodd Owen Evans ar un achlysur i roi pnawn o ddyrnu yn dâl am bregeth i'w gymydog. Bu'n ffustio'n ddyfal drwy'r pnawn a chafodd bregeth yn dâl. Ar derfyn yr oedfa gyda'r Bedyddwyr yn y Gaerwen yr oedd y diaconiaid yn disgwyl amdano o'r pulpud yn hallt eu condemniad am iddynt glywed yr un bregeth gan bregethwr arall — Dafydd Thomas, Trehwfa — y Sul cynt!

Ond mae'n debyg mai'r amlycaf o drigolion y Rhos oedd yr enwog Hwfa Môn — y Parchedig Rowland Williams. Symudodd y teulu yn 1833 o Benygraig, tyddyn bach yn Nhrefdraeth, i Ganol Rhos, Rhostrehwfa pan oedd Hwfa yn bump oed. Cafodd y teulu fenthyg dwy drol i fudo'r holl eiddo saith milltir o daith drwy'r gwres. Yn ôl tad Hwfa, arwydd o lwyddiant mawr oedd mudo ar dywydd braf. Mynnodd ei fam gerdded yr holl ffordd y tu ôl i'r drol. Prentisiwyd Hwfa yn saer coed, fel sawl un arall o drigolion y Rhos. Mae'n amlwg iddo dyfu'n ddyn talgryf gan y cariai eirch o'r gweithdy i dai'r dref ac ar un achlysur rhoes yr arch yn afon Cefni a'i thynnu â llinyn ar wyneb y dŵr yr holl ffordd i Bentreberw. Yn wir, rhyw fywyd rhwysgfawr a gorchestol felly fu ei fywyd drwyddo draw.

Fel pregethwr a bardd yr adwaenid ef drwy'r wlad. Yn yr eisteddfod y gwnâi ei orchestion mawr, a thrwyddi hi y daeth i sylw ac i safle cenedlaethol. Ei gadair gyntaf oedd un Llanfair Talhaearn yn 1855 am awdl ar 'Waredigaeth Israel o'r Aifft'. Yr un flwyddyn enillodd gadair Eisteddfod Machraeth, Môn am ei awdl 'Y Bardd'. Yng Ngorsedd Llanelli yn 1895 y dechreuodd ar ei ddyletswyddau fel archdderwydd a, heb os, daeth â llawer iawn o rwysg i'r Orsedd. Nid rhyfedd i ryw newyddiadurwr Americanaidd roi'r pennawd canlynol i'w

adroddiad o Eisteddfod Ffair y Byd Chicago yn 1893 —
'Hwfa was Tremendous'!

Yr oedd yn bregethwr a gweinidog amlwg iawn a bu
galw cyson arno i uchel wyliau ei enwad i bregethu.
Cychwynnodd ei weinidogaeth yn y Fflint yn 1851, yna
symud i Frymbo yn 1855. Aeth i Fethesda yn Arfon yn
1862 cyn symud i Fetter Street, Llundain yn 1867. Oddi
yno yn 1881 daeth i Lannerch-y-medd a gorffen ei
weinidogaeth yn Llangollen ac yna ymddeol a symud i'r
Rhyl fel sawl gweinidog Methodist wedi hynny!

Yr oedd holl fawrion y wlad yn ei angladd ar 14
Tachwedd 1905. Anfonodd y brenin Edward y seithfed
lythyr maith trwy law ei Ysgrifennydd Preifat i ddatgan
ei feddwl uchel o'r hybarch archdderwydd. Beth bynnag
fo'n barn ni heddiw am Hwfa Môn, ymfalchïai trigolion
y Rhos yn y ffaith ei fod yn un ohonynt hwy.

Ond, os cafodd Hwfa y fath amlygrwydd, go brin y
cafodd ei gymydog, Llwydfryn Hwfa, Ty'n Llwyn, sylw
dyladwy. Yr oedd Llwydfryn yn fardd gwir dda a chred
amryw y buasai wedi bod yn seren olau iawn ar y Rhos
oni bai am y ddiod. Mae'n debyg mai agwedd
biwritanaidd y cyfnod oedd y rheswm pam na chafodd
ei haeddiant. Mewn awyrgylch o'r fath, teimlai Llwydfryn
yn dra edifeiriol a mynegodd hynny mewn englyn i Hwfa
Môn:

> Rhodiaist ti'n llwybrau rhinwedd; — addolaist
>   Gan ddilyn glân fuchedd;
>   Es innau o lwybrau'r wledd
>   I dir rhigwm drwy wagedd.

Ond rhigymu neu beidio, diolch i Bedwyr Lewis Jones
a Tomos Roberts am gasglu peth o'i ffraethineb. Fel hyn
y canodd Llwydfryn i dafarnwr o Langefni:

> Fe losgaist dy fol â wisgi, — cysgaist
>   Uwch casgen o frandi;
>   Ddiwrnod tost ddaw arnat ti,
>   Hel esgyrn i'w hail-losgi.

Ac ar farwolaeth porthmon fore ffair Llangefni:

> Yn farus bu'n myfyrio — uwch ei werth
> Yn iach a digyffro;
> Yn y ffair meddwl ffeirio:
> Ffeiriodd fyd a ffwrdd â fo.

Yna cwpled cyn cawod:

> Mae rhyw ddŵr yn ymryddhau
> Ym malog y cymylau.

Am ryw reswm doedd gan Llwydfryn ddim rhyw olwg ffafriol ar bobl Llannerch-y-medd:

> Tref fyglyd, ddrewllyd, ddrylliog — a dinas
> Dynion dauwynebog,
> Gwŷr llu â'u garrau lleuog,
> Pawb un radd, pob un yn rôg.

Ond, heb os, aelwyd Rhosgofer fu'r dylanwad dyfnaf ar Rolant. Yno y bu ar ôl colli ei fam. Ei daid a'i nain o ochr ei dad oedd John ac Ann Jones, Rhosgofer. Symudodd y ddau yno yn wythdegau y ganrif ddiwethaf. Hanai John Jones o Laneilian ger Amlwch ac Ann o Lanfihangel Tre'r-beirdd. Yr oedd John Jones yn grefftwr medrus â'i drywel ac yn blastrwr da. Yn wir, yr oedd Rhostrehwfa yn nodedig am ei chrefftwyr mewn coed a cherrig. Fe ffitiodd John Jones yn hwylus ymhlith y crefftwyr diwylliedig hyn. Fel y rhan fwyaf o drigolion y Rhos, yr oedd yntau'n Fedyddiwr selog iawn. Teulu Ty'n Llidiart a Rhosgofer oedd sylfaenwyr achos y Bedyddwyr yn yr ardal. Achubodd Syntax Môn y blaen ar ei gymydog i roi tir i godi'r capel ond yn ei ewyllys gadawodd John Jones ei gartref i Achos y Bedyddwyr ym Mhisgah.

Magwyd tyaid o ddeg o blant ar aelwyd Rhosgofer a bu i rai ohonynt adael enwau ar eu hôl. Aeth William, y mab hynaf, a anwyd yn 1866 i America am gyfnod; yr oedd yntau'n grefftwr o'r radd flaenaf. Rhoes gymorth ariannol i'w frawd Edward Cefni i fynd drwy'r coleg.

Ganwyd Edward yn 1871 ac fe'i bedyddiwyd yng Nghildwrn, Llangefni yn llanc un ar bymtheg oed. Aeth i ysgol enwog Cynffig Davies ym Mhorthaethwy cyn ei dderbyn i Goleg y Bedyddwyr ym Mangor yn 1892. Treuliodd y rhan helaethaf o'i weinidogaeth ym Mhenuel, Bangor (1902-1941). Dywedir ei fod wedi cyfoethogi llenyddiaeth ei enwad a'i genedl. Yn 1937 cyhoeddodd gofiant, seiliedig ar draethawd a enillodd yn yr Eisteddfod Genedlaethol, i'w gyfaill John Gwili Jenkins (Gwili). Dewiswyd ef, ar farw'r Parch R. S. Roger, yn olygydd y Llawlyfr Moliant Newydd ac mae cymaint â dau ar bymtheg o'i emynau ynddo.

Fel sawl emynydd arall fe gofir Edward Cefni am un emyn poblogaidd. Does dim yn debyg i dôn dda i wneud emyn yn boblogaidd. Cydiodd y dôn 'Coedmor' o eiddo R. L. Jones yn dynn yn emyn mawr Cefni:

> Pan oedd Iesu dan yr hoelion
> Yn nyfnderoedd chwerw loes,
> Torrwyd beddrod i obeithion
> Ei rai annwyl wrth y groes;
> Cododd Iesu!
> Nos eu trallod aeth yn ddydd.

Yn 1985 cynhwyswyd yr emyn yn Atodiad y Methodistiaid Calfinaidd a Wesleaid a buan iawn yr enillodd gynulleidfa fwy. Bu efelychiad Edward Cefni o garol rhyw fardd anhysbys yn bur boblogaidd hefyd:

> I orwedd mewn preseb rhoed Crewr y byd,
> Nid oedd ar ei gyfer na gwely na chrud.

Fel ieuenctid y Rhos i gyd fe fwriodd Cefni brentisiaeth cyn cychwyn i'r weinidogaeth. Yr oedd yn saer coed o'r radd flaenaf, crefft a fu'n gaffaeliad defnyddiol iddo drwy gydol ei weinidogaeth. Mae'n ddiddorol iawn sylwi cymaint pwys a roed ar i'r ifanc ddysgu crefft. Cawsai'r bobl ifanc hyn gyfnod o brentisiaeth gyda chrefftwyr da a chymeriadau diwylliedig a doeth.

Dyna gefndir magwraeth Rolant o Fôn. Yn yr ardal nodedig hon yn treuliodd ei flynyddoedd cynnar. Yn wir nid aeth erioed ymhell nac yn hir o Rostrehwfa. Manteisiai ar bob cyfle i ganmol ac i glodfori'r ardal hon a'i chymeriadau. Dyma'r cymeriadau a dreuliodd oes yn eu cynefin, yn eu diwyllio a'u haddysgu eu hunain wrth ledu eu gorwelion. Fel y cyfeiria Dr Brynley Roberts yn ei ddarlith ar 'Cadrawd': 'Y mae'n ffasiynol erbyn hyn honni mai un o fythau O. M. Edwards yw'r gwerinwr prin ei addysg ond cyfoethog ei ddiwylliant a diau ein bod wedi rhamantu am ein teidiau yn wladwyr syml, bucheddol ond y mae sail i'r darlun er hynny, ac y mae cefn gwlad Cymru wedi cynhyrchu dynion a merched a oedd, efallai, heb lawer o addysg ffurfiol ond a oedd nid yn unig yn ddeallus ond hefyd yn meddu ar grebwyll yr ymchwilydd fel y daethant yn bobl wybodus, eang eu diddordebau, a gwŷr y colegau a'r prifysgolion yn falch o droi atynt am gymorth a gwybodaeth arbenigol.'

Dyna eithaf disgrifiad o'r cymeriadau a'r gymdeithas yn Rhostrehwfa y gwyddai Rolant yn dda am eu dylanwad. Fel yr arferai Frank Grundy, cyfaill da i Rolant, ddweud, 'Yn Rhostrehwfa yr oedd ysbrydion Hwfa Môn a Llwydfryn Hwfa yn cyniwair yn y gwynt, a sibrwd a wnaethant i glust esgud y llanc o Rosgofer.'

Ond nid ysbrydion o'r gorffennol yn unig fu'n symbyliad i Rolant; gallai gael hyfforddiant gwerthfawr gan rai fel E. O. Jones, *Y Clorianydd*, John Owen, Bodffordd ac Ioan Môn. Byddai'r rhain ac eraill bob amser yn barod i'w hyfforddi ac fe fanteisiodd yntau ar bob gwers a gafodd.

Ond nid pobl a chymdeithas y Rhos yn unig a ddylanwadodd arno: yr oedd rhywbeth yn nhirwedd y lle yn gafael mor dynn ynddo. Onid yn Nant y Pandy gerllaw y canfu Eden i'w enaid? Yno y treuliodd oriau'n gwrando'r adar a bugeilio'r blodau gwyllt. Yr oedd i Natur le pwysig ym mywyd Rolant a rhoes fynegiant i hynny yn ei ganu, fel yn un o'i ganeuon cynnar i Nant y Pandy:

> Mor felys rhodio gyda'r nos,
> O drwst y Rhos a'i firi,
> A gwrando cân rhyw eos lân
> Ar gangen uwch y Cefni.
> Mor bêr yw sawr y blodau cu
> Sydd ar bob tu yn tyfu;
> Rhyw nefoedd fwyn yn llawn o swyn
> I mi yw Nant y Pandy.

Bro Hwfa, heb os, oedd ei fro, fel y cyffesa yn y gyfres hon o englynion:

> Y Duw Iôr hyd ei herwau — a huliodd
>   Wymp olud ei ddoniau,
>   A hir swyn ei rosynnau
>   A'i Awen oll i'w glanhau

> Pob rhyw berth a brydferthodd, — ag arian
>   Ac aur Hwn a'i gwisgodd,
>   Ac mewn hedd, pob rhyfedd rodd
>   O law Duw a'i blodeuodd.

> A daw'r wawr hyd yr oror — ar aden
>   O ambr wrid dibylor;
>   Perffaith yw gwead porffor
>   Eirias ei Duw dros ei dôr.

> A daeth haf i'w daith hyfwyn — a'i hardd wên
>   Draw i'r ddôl a'r wernllwyn;
>   Erys serch lle chwery swyn
>   Hen ogoniant y gwanwyn.

> Daw rhyw hud a direidi — heno'n ôl
>   Yn hen iaith y Cefni;
>   Cywreindon feddf dros leddf li
>   Hyd lon delyn y dyli.

'E red hwyr i'w grud arian — a rhudd haul
  I wyrdd ddŵr yn hafan,
  A'r adar mân a danian'
Alaw gaeth eu ffarwel gân.

Oriau haf ym mro Hwfa, — llyma'r lle
  Y mae'r lloer ddisgleiria';
  A'r chwa falmaidd bereiddia'
Yn su y dail ei 'nos da'.

A thrwy boen a thrybini y glynaf
  Yn galonnog wrthi;
  A chaf â'i gwreng 'rôl trengi
Annedd o hedd ynddi hi.

Nodiadau: Bro Hwfa

Enwau Lleoedd Môn, Gwilym T. Jones, Tomos Roberts.
  Cyhoeddwyd gan Gyngor Sir Môn, 1996
Cofiant Hwfa Môn, Gol W. J. Parry. Cyhoeddwyd gan Thomas
  Griffiths & Co., 1907
Casgliad o Waith Llwydfryn Hwfa (Bardd Gwlad), Bedwyr
  Lewis Jones a Tomos Roberts. CPCB, Rhif 26643, 1975
Darlith Goffa Henry Lewis, *Cadrawd — Arloeswr Llên Gwerin,*
  Dr Brynley Roberts, 1996
Y Clorianydd, Rhagfyr 12, 1962 ac Awst 7, 1963

Colli Tad a Mam

'Cledd â min yw claddu mam', meddai'r hen air, ond cledd deufiniog yw colli tad a mam. Dyna fu hanes Rolant o Fôn cyn cyrraedd ei bump oed. Bu farw Maggie Jones yn 1913 gan adael tri o blant ieuanc, Idwal yn saith oed, Rolant yn bump ac Ann Jane yn ddim ond babi saith mis oed. Yr oedd Morfudd eu chwaer wedi marw ychydig ynghynt.

Mab John ac Ann Jones, Rhosgofer oedd Samiwel Parry Jones, y tad. Ef oedd nawfed plentyn y teulu o ddeg. Fe'i prentisiwyd yn saer maen a chyfrifid ef yn un o'r crefftwyr gloywaf. Yr oedd yn ddyn tal, tywyll o groen a chanddo bersonoliaeth urddasol. Priododd Samiwel yn bur ifanc â Maggie Pritchard o Gemais ym mhlwyf Llanbadrig neu, i fod yn fanwl, o'r Penrhyn led afonig o Gemais. Yr oedd yr afonig honno'n llydan iawn ers talwm, yn ddigon llydan i nodi cryn wahaniaeth rhwng pobl y Penrhyn a phobl Cemais. Merch Hugh a Jane Pritchard, Fronheulog o'r Penrhyn (Vikings heddiw) oedd Maggie. Yr oedd Jane Pritchard yn gymeriad nodedig iawn, yn enwog am ei ffraethineb. Magodd dyaid o naw o blant mewn cryn galedi. Aeth tri o'r meibion i'r môr. Cartrefodd Wil a Hugh ym Mhorthaethwy a Richard ym Mhorth Amlwch. Yr oedd yn y plant lawer iawn o ffraethineb naturiol eu mam, ac roedd y meibion yn rhigymwyr da. Canodd Dic sawl marwnad yn ôl arfer y cyfnod.

Ar ei phriodas â Samiwel fe symudodd Maggie i Rostrehwfa — i'r Orsedd, bwthyn isel yn un o bedwar mewn rhes yn agos i gapel Pisgah. Yr oedd Rhostrehwfa yn bell iawn o Gemais bryd hynny ac mae'n siŵr y teimlai Maggie hiraeth a chwithdod mewn gwlad ddieithr. Merch eiddil o gorff ydoedd a'i gwallt coch llaes yn llwydo'i gwedd yn waeth. Yr oedd yn gyfnod llwm a thlawd wrth i'r ddau geisio byw ar gyflog saer maen.

Ganwyd iddynt bedwar o blant, Idwal, Morfudd, Rolant ac Ann Jane. Fe ddywed Samiwel Jones yn un o'i ysgrifau i'r *Clorianydd* i longyfarch Rolant ei fod wedi cael ei eni yn yr Orsedd ar y ffin rhwng plwyfi Llangristiolus a Cherrigceinwen. Bu cario'r plant ac ymdrechu i'w magu mewn cryn galedi yn ormod o dreth ar iechyd Maggie. Bu farw Morfudd oddeutu pump oed — loes drom i'w mam yn ei gwendid. Mae rhai yn ardal y Rhos yn dal i gofio cwpled ei thad i'r plentyn:

Fe dyfodd fel y lili
Er gwyllted oedd yr ardd.

Cwpled o enaid tad trallodus, a'r gair 'gwyllted' yn feichus o ystyron dan y fath amgylchiadau.

Bu farw Maggie hithau cyn i'r Rhyfel Byd Cyntaf dorri ar lonyddwch y wlad. Doedd dim amdani i blant yr Orsedd ond gwahanu a gwasgaru. Yr oeddynt wedi symud erbyn hyn i Benrhyd, tŷ mwy o faint ar gwr pentref Bodffordd. Serch hynny, ni fyddai yno ddinas barhaus i'r plant amddifad o fam. O'i fodd neu o raid fe alwyd Samiwel Jones i'r rhyfel am gyfnod. Aed â'r plant i Rosgofer at eu taid a'u nain — ail gartref pob plentyn. Cerddodd Jane Pritchard, y nain arall, yr holl ffordd o Gemais i Rostrehwfa. Yr oedd Nain Cemais yn barod iawn i rannu'r baich a chymerodd gyda hi Idwal, y mab hynaf, a cherddodd y ddau yn ôl i Gemais y noson honno.

Cefnodd Idwal ar ardal y Rhos ac ar Rolant ei frawd bach. Cafodd gartref ac aelwyd digon cysurus efo'i daid a'i nain. Yr oedd yno gymaint o fodrybedd ac ewythrod yn galw'n ddi-baid. Fel yr âi'r blynyddoedd heibio byddai Rolant ac Ann Jane yn dod yno am wyliau i wynt iach y môr. Yr oedd Cemais mor wahanol i Rostrehwfa. Byddai'r stryd yn llawn o bobl a'r môr yn llawn o gychod hwyliau. Yr oedd adar mawr gwynion yng Nghemais, nid rhai bach llwydion fel yn y Rhos. Fe ddeil Ann Jane y chwaer i gofio'r gwyliau yng Nghemais efo Rolant a'r picnic ar bonc y Penrhyn — dal i gofio ar ôl pedwar ugain mlynedd! Câi'r plant aros yn hwy na'r gwyliau ysgol weithiau a byddent yn ymuno â phlant Cemais yn yr ysgol, er bod Rolant yn gyndyn iawn o fynd i blith plant dieithr. Pan gyrhaeddent ben Lôn Newydd fe nogiai a byddai raid i Anti Sophie druan ei berswadio a'i dynnu. Gorchwyl arall y protestiai yn ei gylch fyddai cael ei ymolchi gan Anti Sophie. Âi'r fodryb i bob cilfach yn ei glustiau a throi a throi'r cadach gwlyb gan rybuddio, 'Gwaedda di faint a fynnot ond mi fynna i dy gael yn lân.' 'Châi neb weld unrhyw frycheuyn ar blentyn Maggie, ei chwaer fawr. Yr oedd gan Sophie gryn feddwl o'i chwaer fawr a galwodd ei merch â'r un enw, er cof amdani.

Ond Idwal, y gwladwr tawel, oedd hogyn Cemais. Ar ôl gorffen yr ysgol cafodd waith wrth fodd ei galon a'i natur, yn brentis o arddwr yn y Cestyll, tŷ annedd wedi ei gylchynu â gerddi rhwng bae Cemais a bae Cemlyn. Y Cestyll oedd cartref y Foneddiges Violet Mary Vivian. Bu hi a'i gefeilles, Dorothy Maud, yn foneddigesau preswyl i'r Dywysoges Fictoria, merch Edward y seithfed a'r frenhines Alecsandra. Hanai teulu'r Vivian o Gernyw, a daeth barwniaeth iddynt yn 1841. Ond y foneddiges Violet Vivian oedd yn berchen y Cestyll ac yn ei gwasanaeth hi y bu Idwal trwy gydol ei oes fel garddwr. Cafodd brentisiaeth dda mewn garddwriaeth efo William Thomas Tŷ 'Refail, Cemais, bwthyn bach wrth y bont ar lan afon Wygyr. William Thomas oedd prif arddwr a chychiwr y foneddiges yn yr oes honno pan oedd 'pobol fawr' *yn* fawr! Deuai'r Dywysoges Fictoria i'r Cestyll yn weddol gyson a gwelid hi ar y stryd ac yn y siopau a châi groeso moesgar gan bawb o'r trigolion. Mae hanes amdani yn galw i weld bwthyn William Thomas y garddwr. Yr oedd Ffani Thomas yn wraig lân a hynod o ddestlus, a'i bwthyn yn bictiwr o lendid. Galwodd y Dywysoges yn gwbl ddirybudd un bore yn Nhŷ 'Refail ac, yn anffodus, dyma'r bore yr aethai Ffani Thomas ati o'i chodiad i wneud jam a gadael y glanhau hyd y prynhawn. Ni fu'r fath ymddiheuro erioed wrth i Ffani Thomas ymdrechu yn ei Saesneg bratiog i egluro i ferch y brenin mai un o eithriadau prinnaf ei bywyd oedd troi at y jam cyn glanhau. Ond mwynhâi'r Dywysoges aroglau hyfryd y jam a'r ffrwtian dioglyd a ddeuai o'r crochan mawr du.

Ar ymddeoliad William Thomas o'r Cestyll daeth Idwal Jones yn brif arddwr ac yn gychiwr i Miss Vivian. Bu yno am ddeugain mlynedd. Yr oedd Idwal, fel Rolant, yn naturiaethwr wrth reddf ac yn ei nefoedd yn sgwrsio am flodau a garddio. Treuliodd ei oes yn y baradwys flodeuog yn y Cestyll lle'r agorid y gerddi i'r cyhoedd ddwywaith y flwyddyn. Ni roddai dim fwy o foddhad i'r garddwr na chael rhannu'r prydferthwch â phobl y fro a'r dieithriaid o bell. Bu farw Idwal y flwyddyn yr oedd i dderbyn tlws Sioe Amaethyddol Môn ond, os collodd yr anrhydedd honno, teimlai ei fod yn gryn anrhydedd cael bardd y Gadair Genedlaethol yn frawd a deuai Rolant bron i bob sgwrs ganddo.

Ar aelwyd Rhosgofer y cafodd Rolant ac Ann Jane gartref. Yn ddiweddarach fe fabwysiadwyd Ann Jane gan ei modryb Jane (chwaer ei thad) a'i gŵr Richard Hughes. Am ryw reswm, ni fabwysiadwyd Rolant a chadwodd y cyfenw 'Jones'. Fel y plentyn canol fe syrthiodd Rolant rhwng dwy stôl. Ym Mai 1916 bu farw John Jones, taid

Rhosgofer. Dyma chwalfa eto i fyd ieuanc Rolant, a hwnnw yn fyd digon ansicr. Cyn diwedd y flwyddyn honno bu farw ei nain, Ann Jones hefyd. Bu'n fam nodedig o dda i Rolant a'i chwaer. Adnabu Rolant nodweddion rhinweddol a da yn ei nain ac yn ddiweddarach fe ganodd ei chlod:

> Ni feddai ar fawr o olud y byd,
> Ni wyddai ei chwennych chwaith,
> A'i hymffrost drwy gydol blynyddoedd hir
> Oedd dwylo galedwyd gan waith.
> Hi wybu am gyni a chystudd mawr
> Ond glynodd ei chalon yn bur,
> A chadwodd ei haelwyd mor lân â'r wawr
> Er crymu gan ofal a chur.
> Hi a droes ei hadfyd i gyd yn gân
> Er dued ei nef lawer tro,
> A chofiodd, er amled ei theulu mân,
> Am gypyrddau gweigion ei bro;
> Ni chyrchodd cardotyn erioed ei dôr,
> Ni ddyrchafodd amddifad gri,
> Na rannodd i'w angen o'i phrin ystôr —
> Nid cloëdig ei chelwrn hi.

Symudodd Richard a Jane Hughes i Rosgofer ar farwolaeth John ac Ann Jones, gyda Richard eu mab a Rolant ac Ann Jane. Erbyn hyn yr oedd Ann Jane wedi ei mabwysiadu'n swyddogol ganddynt. Teimlai Jane Hughes mai cyfrifoldeb ei dad, Samiwel Jones, oedd Rolant. Yr oedd Samiwel yn byw yng Nghefn-mawr, rhwng Llangollen a Wrecsam, ac yn gweithio'i grefft yno. Anfonwyd ato i nôl y plentyn. Yr oedd Rolant yn gadael ei saith oed erbyn hyn ac yn synhwyro mai ef oedd yr agosaf i'r drws. Ond ni fu ymddangosiad y tad yn fawr o help i setlo'r mater. Mae'n amlwg mai dyn gwan oedd Samiwel Jones ac yn hynod o amharod i ysgwyddo'r cyfrifoldeb. Cytunodd, wedi trafodaeth, i Rolant fynd gydag ef i gartrefu yng Nghefn-mawr. Ffarweliwyd â theulu Rhosgofer ac aeth Rolant yn llaw ei dad fel Abram gynt 'heb wybod i ba le yr oedd yn myned'. Ond taith fer fu hon. Ar ôl cerdded am yn agos i filltir i gyfeiriad Llangefni at y trên, safodd Samiwel Jones yn fud am funud. Gollyngodd law fach gynnes y plentyn a phlygodd i lawr ato. Dan gryn deimlad, dywedodd, 'Gwell i ti fynd yn ôl at dy fodryb. Fe gei di well cartra o lawer gan Jane fy chwaer na alla i fyth ei roi iti.' Safodd Rolant yn syn a gwylio'i dad yn mynd yn llai a llai o hyd nes diflannu'n ddim. Ni all neb ond plentyn fod yn amddifad. Nid rhyfedd i'r plentyn seithmlwydd hwnnw dyfu i fyny yn amddiffynnwr y gwan a'r difreintiedig. Drws Rhosgofer oedd yr unig ddrws iddo bellach. Wedi colli ei dad a'i fam cerddodd yn ei ôl at ei fodryb a'i ewythr a chafodd ganddynt gartref da.

Ychydig iawn o ymwneud a fu rhwng Rolant a'i dad hyd flynyddoedd olaf eu hoes. Parhau i fyw yng Nghefnmawr a wnaeth Samiwel Jones ond cadwodd rywfaint o gysylltiad â Môn drwy ysgrifennu'n gyson i'r *Clorianydd*, papur wythnosol y sir. Yr oedd yntau yn llenor dygn ac yn fardd gwlad pur ddeheuig. Ysgrifennai dan yr enw 'O sgil y clawdd'. A barnu oddi wrth ei gyfraniadau yr oedd arno gryn hiraeth am Fôn, cymaint felly nes y plediai ar olygydd y papur i roi 'Colofn' i alltudion Môn lythyru â'i gilydd.

Gyda'r blynyddoedd daeth Samiwel i wybod am lwyddiannau Rolant yn eisteddfodau Môn. Bron na theimlem rhyw dinc edifeiriol weithiau. Pan enillodd Rolant gadair y Genedlaethol yn Hen Golwyn yr oedd ysgrif Samiwel ar 13 Awst yn fwrlwm gorfoleddus. Drwy'r ysgrif y mae'n cyfarch ac yn sgwrsio efo Rolant. ''Rwy'n dy gofio'n blentyn yng ngardd Penrhyd. Fyddet ti fyth yn fodlon ar afalau o fewn dy gyrraedd; na, byddai raid i ti gael dringo i'r brigau uchaf. Fe'th anwyd yn yr Orsedd, Rhostrehwfa ac yn rhyfedd iawn dyma ti heddiw wedi ennill anrhydedd uchaf Gorsedd y Beirdd. Cest dy eni

ar derfyn dau blwyf Llangristiolus a Cherrigceinwen ac
ni all haneswyr y dyfodol dy hawlio fel dinesydd llawn
o'r un o'r ddau blwyf — hanner yn hanner fel tae.' Yna
synhwyrir lwmp yng ngwddw'r tad wrth sôn am ei rieni,
John ac Ann Jones, Rhosgofer. Yn rhyfedd iawn, atynt
hwy, taid a nain Rolant, y cyfeiria yn hytrach nag at ei
fam wrth alw'r gorffennol yn ôl: 'Pe bae dy daid a dy nain
yn fyw heddiw buasai'r ddau yn llamu dros gloddiau
Rhosgofer a chaet tithau scram iawn i de ganddynt.'

Mae'n amlwg fod cryn dyndra ym mynwes y tad wrth
siarad â'i fab mewn dull mor amhersonol yng
ngholofnau'r *Clorianydd*. Heb os, fe deimlai'n euog iawn
o gofio iddo adael ei fab i gymryd ei siawns. Ar y llaw
arall, yr oedd Samiwel yn ei adnabod ei hun yn ddigon
da i wybod y byddai Jane ei chwaer yn llawer gwell mam
i Rolant nag a fyddai ef fyth o dad iddo.

Yr oedd Samiwel yn barod iawn gyda'i gyfarchion i
Rolant wedi iddo ennill ei gadair eisteddfodol gyntaf yn
1928 ac roedd yn proffwydo iddo gadair y Genedlaethol
cyn cyrraedd ei dair ar hugain oed:

> Daeth heulwen deg y Chwefror
> I lonni f'enaid i,
> A dawnsiais o lawenydd
> Yn sain dy delyn di.
> Disgynnodd deigryn hefyd
> Yn ddistaw dros fy ngrudd
> Wrth gofio dyddiau'th febyd —
> Rwy'n llawen ac yn brudd.
>
> Am iti goncro cewri,
> Tra'th wanwyn yn y coed —
> Tair cadair hardd a choron
> Yn un ar hugain oed —
> Hwrê, medd f'enaid ysig
> Ar gopa'r Berwyn hardd,
> Cans eddyf prifeirdd Cymru
> Dy fod yn frenin-fardd.

Diwylliaist di dy awen
Heb help gan undyn byw,
Mewn gwendid ac ystormydd
Heb fam na thad yn llyw.
'Ymlaen' fo dy arwyddair,
Boed nerth i'th ben a'th droed,
I'r Gadair Genedlaethol
Cyn tair ar hugain oed.

Mae 'nghalon lesg yn llamu
Gan falchder yn dy rawd:
Ti goncraist chwech o gewri
Heb unrhyw ffafr na ffawd:
Mae canu ar y Berwyn
A dawnsio hwnt i'r llen —
Dy daid a'th nain a Morfudd
Sy'n orlawn o lawenydd
Fod Rolant bach yn ben.

Ond rhyw berthynas hyd y papur newydd fu perthynas
Rolant a'i dad drwy'r blynyddoedd. Rhyfeddai Morfudd,
merch Rolant, at olygfa bur anghyffredin ar aelwyd ei
chartref un tro — ei thad a'i thaid yn cofleidio'i gilydd.
Mae'n debyg mai rhyw act o gymodi oedd hynny wedi'r
alltudiaeth hir.

Ond fe gafodd Rolant aelwyd ddigon cysurus gyda
Richard a Jane Hughes. Bu'r ddau yn hynod o garedig
wrtho a rhoesant bob cyfle iddo fynd yn ei flaen. Yr oedd
yntau'n hynod o ddiolchgar i'r ddau.

Ysgol a Swyddfa

Bu Rolant am dymor byr yn ysgol Bodffordd. Mae rhai
o'i gyd-ddisgyblion yn ei gofio yn blentyn llwydaidd a
hynod o swil. Erbyn iddo gyrraedd ei bedair oed yr oedd
y teulu wedi symud i Benrhyd ar gwr pentref Bodffordd,
ond ar ôl colli ei fam symudodd Rolant yn ôl i Rosgofer
ym Mro Hwfa. Yn naturiol, golygai hyn newid ysgol;
Ysgol Penrallt, Llangefni fyddai'r agosaf iddo bellach.

Yr oedd yr ysgol newydd a'i phlant mor wahanol; plant
y dref oedd y rhain. Ond buan iawn y cynefinodd Rolant
â'i fyd a'i ffrindiau newydd. Yr oedd y prifathro yn ddyn
caredig iawn — John Griffith Jones — gŵr y bu Rolant
yn ddyledus iawn iddo. Adnabu'r prifathro hwn ryw
nodweddion neilltuol ym mhlentyn Sam Rhosgofer. Yr
oedd ganddo fantais gan mor dda yr adwaenai rieni'r
plant. Yn ddiweddarach, ymffrostiai ei fod yn adnabod
Rolant o Fôn o'i grud, ac ychwanegai ei fod yn hogyn
ysgol cymharol dda ond bob amser yn breuddwydio. I
athro craff fel J. Griffith Jones yr oedd breuddwydio yn
rhinwedd i'w meithrin mewn plentyn. Cafodd y prifathro
fyw i weld gwireddu ei freuddwyd yntau am y plentyn
hwn. Ef a gadeiriai'r cyfarfod yn Llangefni i groesawu
a llongyfarch Rolant wedi iddo ennill Cadair Eisteddfod
Hen Golwyn yn 1941. Mor ddyledus yw'r genedl i
brifathrawon da fu'n cyfeirio ac yn cyfarwyddo ac yn wir

yn canfod cyraeddiadau plentyn, a hynny cyn bod sôn am asesu na chwricwlwm.

Dan y pennawd 'Bardd y Gadair', darllenwn yn yr *Herald Cymraeg*, Awst 12, 1941 fel hyn: 'Ni wyddom am well magwrfa i fachgen neu eneth o dueddiadau llenyddol a cherddorol nag Ysgol Penrallt. Nid ar y prifathro yno y gorffwys y bai oni bydd pob disgybl a ddaw allan o'r ysgol wedi dechrau dysgu caru llenyddiaeth a cherddoriaeth ei wlad.' Bu Rolant o Fôn yn gymeradwyaeth wych i'r ysgol hon a'i phrifathro.

Ychydig o'r plant a fyddai'n symud o'r ysgol elfennol i'r ysgol eilradd. Byddent yn aros yn yr ysgol elfennol hyd at bedair ar ddeg oed yna gadael i ddilyn prentisiaeth mewn crefft neu fynd i weini ffarmwrs. Fe fyddai'r teuluoedd cefnog yn cymell eu plant i fynd i'r Ysgol Sir a byddai'r prifathro hefyd yn cymeradwyo plentyn i fynd yn ei flaen os gwelai gymhwyster ynddo ef neu hi.

Dan gymeradwyaeth ei brifathro yr aeth Rolant i'r Ysgol Sir. Y mae'n gryn glod i Richard a Jane Hughes am dderbyn y cyfrifoldeb i Rolant fynd i ysgol uwch, yn arbennig o gofio fod ganddynt fab eu hunain a merch fabwysiedig. Fe olygai cadw plentyn yn yr Ysgol Sir gryn gost ac, yn naturiol, fe olygai gryn aberth i deuluoedd tlawd. Serch hynny, yr oedd gan Rolant fantais ar rai o'r plant a fyddai'n gorfod lletya yn Llangefni o fore Llun tan nos Wener: yr oedd ef o fewn cyrraedd cerdded gweddol hwylus i'r ysgol. Ond blynyddoedd caled a llwm oedd y dauddegau ac fe wyddai Rolant a sawl un arall am y caledi hwnnw.

Cymerodd prifathro'r ysgol newydd eto gryn ddiddordeb ynddo. Arferai Rolant ddweud mai S. J. Evans, y prifathro, a roes iddo'r wobr gyntaf erioed — pisyn chwe cheiniog am rigymu. Yr oedd wedi cyfansoddi penillion cocosaidd i ddisgrifio rhai o'r athrawon ar Ddydd Gŵyl Ddewi. Byddai Miss Jones yr athrawes

Saesneg yn gwisgo *breeches* ac yn marchogaeth yn ei hamser hamdden. Yn naturiol yr oedd hi'n destun delfrydol i gân gocosaidd a chan fod dathlu Gŵyl Ddewi yn achlysur gwahanol i'r arfer yn yr ysgol, rhoes Rolant gynnig arni:

> Miss Jôs
> Yn gwisgo clôs
> ar ddydd Gŵyl Dewi Sant.

ac yna

> Mistar Pierce
> fel teigar *fierce*
> Ar ddydd Gŵyl Dewi Sant.

John Pierce oedd yr athro Cymraeg ac ef aeth â phenillion Rolant i'r prifathro. Gorchmynnodd yntau fod yr awdur i fynd i'w ystafell yn ddi-oed. Credai Rolant yn siŵr ei bod ar ben arno a bod ei ddyddiau ysgol wedi eu rhifo. Ond nid cosb a'i disgwyliai ond canmoliaeth ac anogaeth i ddal ati. Troes yr hunllef yn wynfyd pur iddo. Trysorodd Rolant y pisyn chwech hwnnw yn fawr iawn.

Yn ôl cylchgronau Ysgol Sir Llangefni yn y dauddegau, byddai rhai o ddisgyblion dosbarth pedwar a phump yn frwdfrydig iawn dros ddathlu Gŵyl Ddewi, ac mae'n amlwg y caent bob cefnogaeth gan y prifathro. Mynnai i'r plant ddathlu'r Ŵyl yn deilwng o draddodiadau'r ysgol. Cynhwysai'r rhaglen gystadlaethau adrodd a chanu, barddoni a siarad cyhoeddus. Daw tri enw yn amlwg iawn i'r brig yn y dathliadau hyn — W. H. Roberts o Niwbwrch, Rolant H. Jones o Rostrehwfa a Catherine Roberts o Gemais. W.H., fel y gallesid disgwyl, a enillai ar adrodd a Rolant yn ennill fel siaradwr cyhoeddus ac fel bardd — dwy ddawn yr ymddisgleiriodd ynddynt.

Dyma gerdd o'i waith i Ddewi Sant yn 1924 ac yntau yn bymtheg oed:

Dewi Sant oedd Noddwr Cymru,
Ac yr oedd yn Gymro glân,
Hanai o hen Wlad y Bryniau,
Gwlad y delyn, gwlad y gân.
Dysgai bawb i garu Iesu,
Duwiol ydoedd Dewi Sant,
Ac y mae yn cael ei gofio
Gyda chennin gan y plant.

Rolant Jones. IVa

Yna, yn rhifyn Tymor y Pasg 1925 o'r cylchgrawn mae
Rolant yn canu i holl staff yr ysgol:

A glywsoch chwi rifedi
Athrawon Ysgol Sir?
Mae yma lu ohonynt,
Rhai gorau yn y tir.

Yn gyntaf ar ein rhestr
Daw meistr pob rhyw ddawn,
Prifathro'r Ysgol Sirol,
Gwir Gymro parchus iawn.

Mae pob rhyw ddrwgweithredwr
Rhag hwn yn cadw draw,
A'i wialen ffyrf ac ystwyth
Sy'n peri iddynt fraw.

'Rŷm ni yn hoffi'n arw
Fwyn lais ein meistr Scott,
'Rŷm ni yn ei adnabod
Oddi wrth ei bwysfawr drot.

Un arall ŷm yn hoffi —
Un siriol iawn a thew,
Mae'i lais, pan fydd yn siarad,
Fel rhuad yr un llew.

Cymraeg mae un yn ddysgu,
Un da am ddweud y gwir,
Un garw am bryfocio;
Ei well nid oes mewn sir.

Mae yna un yn dysgu
Sut i arlunio'n well;
Daw yma bob rhyw ddiwrnod
Ar Raleigh o ffordd bell.

Rhof gyngor ichwi fechgyn
I beidio gwylltio hwn,
A gwyliwch chwi bob amser
Rhag profi'i boenus bwn.

Mae yma un yn cofio
Am Plato o wlad Groeg;
Rhaid fod o'n hen ddihenydd
(Gwell peidio bod yn goeg).

Mae Mr Foulkes yn lecio
Ein dysgu i ddroio'n dwt,
A'i 'gaddo'i' bydd o weithiau
Er nad yw fawr o bwt.

Mae clefyd y traws-eiriau
Yn drwm ar un o'n bro,
Ac 'Edward's Notes' yw'r llyfryn
I'n dysgu medda fo.

Un arall gyda'i lusern
I ddangos lluniau ddaw,
A phan fydd wrthi'n siarad
Ei lais sy'n peri braw.

Os ŷch am fynnu gwybod
Cyfrinach W.O.
Wel ewch at eneth landeg
Sy'n byw o fewn ein bro.

Mae yma lanc o Walchmai
Yn dysgu yn bur ffraeth;
Nid wyf yn canfod ynddo
Fawr olion bara llaeth.

Rowland H. Jones. Form IVB

Yn ystod ei flwyddyn olaf yn yr Ysgol Sir bu farw ffrind Rolant — Harri Hughes, Caerysgawen, Rhos-fawr. Gwyddom mai hen groes anodd yw colli cymar ysgol. Bu colli Harri yn chwerwedd dieithr ym mhrofiad Rolant. Mae'n mynegi ei deimladau mewn cerdd goffa i Harri:

Ffarwél Harri

'Rwy'n cofio fel doe pan gwrddais
Â Harri'r tro cynta erioed;
'Roedd cathl ehedydd uwch temlau'r ddôl
A cherddi'r haf yn y coed:
Do, hoffais ei drem ddiweniaith,
A cherais ei wên ddi-fraw;
Rhos diniweidrwydd oedd ar ei rudd,
Ac offer dysg yn ei law.

Yn nadwrdd a miri'r dosbarth
'Rwy'n cofio ei galon rydd;
'Roedd honno'n lanach na gwlith y wawr,
Siriolach na haul y dydd.
Do, carodd ei hil a'i heniaith,
Cynefin y bwth to cawn;
Ar allor Duw yr offrymodd ef
Ei dalent, ei ddysg a'i ddawn.

Chwarae y byddem yn blantos
Mewn rhyddid a hedd a hoen;
Harri oedd capten ein byddin fach,
Bu'n llew gyda chalon oen.
Yng ngwawrddydd ei gynnydd disglair
Mor syth fu ei rodiad hardd;
Canodd gân ei ieuenctid mor bêr
Â'r awel ym mlodau'r ardd.

Beth bynnag am ansawdd y cerddi hyn, y maent yn brawf fod yn Rolant er yn ifanc iawn ddawn y prydydd a chafodd bob cyfle yn yr ysgol i ymarfer y ddawn honno. Yn ôl rhai o'i gyfoedion ysgol — T. D. Roberts ac Evan

Owen — yr oedd Rolant yn ymddiddori mwy na neb o'r plant eraill mewn barddoniaeth a phrydyddu.

Fe fanteisiodd ar y gymdeithas y tu allan i'r ysgol hefyd i hogi'r awen. Yn y cyfnod hwnnw Cymdeithas y Capel yn unig a geid mewn lle fel Rhostrehwfa. Yr oedd Richard Hughes a'i fodryb, fel ei daid a'i nain o'u blaen, yn aelodau selog iawn efo'r Bedyddwyr. Yr oedd bywyd cymdeithasol y Rhos yn troi yn gyfan gwbl o gwmpas y capel. Magwyd Rolant o Fôn yn yr Anghydffurfiaeth a'r Gapelyddiaeth gul yna; yn wir, fe brofai'n rhy gul i Rolant ar adegau. Er bod gwres y diwygiad wedi oeri erbyn ugeiniau'r ganrif hon ac Ymneilltuaeth wedi colli llawer o'i gafael ar y werin, eto, yr oedd y dylanwad yn dal yn gryf, a cheid ym Môn o hyd bregethwyr a dynnai'r tyrfaoedd.

Ond nid cyfle i wrando ac edmygu eraill fu'r dylanwad mwyaf ar Rolant. Cafodd ef, fel sawl un arall, lwyfan i ymarfer ei ddoniau ac i arddangos ei allu. 'Pwy all fyth fesur gwerth y cyfle a roes ein capeli Ymneilltuol i fagu ac i feithrin llenorion, beirdd ac yn wir ddinasyddion da?' chwedl y ddiweddar Elen Roger Jones. Honnai'r Athro Bedwyr Lewis Jones y gallai adnabod yn syth mewn cyfweliad pa rai o'r myfyrwyr a fagwyd mewn Ysgol Sul. Cafodd Rolant o orau cyfle'r capel. Pan nad oedd ond deuddeg oed darllenodd 'bapur' mewn Cyfarfod Ysgolion ym Mhencarneddi a gwnaeth argraff neilltuol ar bawb. Wrth ddiolch iddo dywedodd un o'r diaconiaid, 'Os yw'r siaradwr yn fychan, rwy'n proffwydo y bydd hwn yn ddyn mawr rhyw ddydd.' Manteisiodd Rolant ar y llwyfan yma i ymarfer ei ddawn fel siaradwr. Er pan oedd yn blentyn ieuanc yn yr ysgol ni fyddai dim yn ei fodloni'n fwy na chael cynulleidfa i wrando arno. Yn ôl un o'i gyfoedion ysgol, pan gâi Rolant gefn yr athro fe gymerai yntau drosodd i ddifyrru'r plant.

Ar derfyn ei dymor yn yr Ysgol Sir bu raid iddo adael i chwilio am waith a chynhaliaeth. Heb os, yr oedd ynddo gymhwyster Prifysgol, ond roedd hynny allan o'r cwestiwn. Pwy a ŵyr beth fuasai ei hanes wedi bod pe cawsai addysg Brifysgol? Mae'n debyg i'r ffaith na chafodd gyfle addysgol pellach beri iddo ymdrechu gymaint yn fwy. Gadawodd yr Ysgol Sir cyn cyrraedd ei un ar bymtheg oed. Gan ei fod yn ysgafn o gorff a llwydaidd o wedd cafodd waith clercio yn garej T. R. Jones ar y Stryd Fawr yn Llangefni. Ond byr iawn fu tymor y bardd ifanc yn y garej ac fe symudodd i fod yn glerc yn swyddfa un o gyfreithwyr enwocaf Môn, Richard Gordon-Roberts.

Yr oedd Gordon-Roberts yn ffigwr neilltuol iawn a wnaeth enw iddo'i hun fel cyfreithiwr ym Môn a Gogledd Cymru. Yr oedd yn enedigol o dref Caernarfon, ac er bod y dref honno yn hynod o Gymreigaidd yn y ganrif ddiwethaf, mynnodd rhieni Richard Gordon mai Saesneg fyddai iaith eu mab er mwyn sicrhau gyrfa lwyddiannus iddo! Hanai o deulu o Eglwyswyr selog a fu'n gefn i'r Blaid Dorïaidd yn y dref honno. Ychydig a wyddom am ei ddyddiau cynnar, ac eithrio iddo ymuno'n wirfoddol â'r fyddin yn Rhyfel De Affrica. Gwelir ei enw ymhlith eraill fel Bombardier Richard Gordon-Roberts ar blât pres hardd yn Llys y Goron, Caernarfon. Wedi cyfnod yn y fyddin bu'n gyfreithiwr yn nhref ei febyd.

Symudodd i Langefni yn gyfreithiwr ifanc a buan iawn y lledaenodd ei enw drwy'r sir. Yr oedd yn siaradwr effeithiol a rhugl — cymhwyster pwysig i gyfreithiwr ac roedd ynddo allu eithriadol, cof anhygoel a rhyw ddygnwch di-ildio. Prawf o'i allu a'i gof yw'r ffaith iddo ymdopi'n well na'r un cyfreithiwr arall â'r chwyldro ym myd y gyfraith yn 1925. Dysgodd Gordon-Roberts Ddeddf Eiddo 1925 i gyd ar ei gof air am air, ac er mor faith ac astrus ydoedd fe allai ei hadrodd fel pader pan oedd yn bedwar ugain oed. Gan fod cymaint o gyfreithiau Prydain yn seiliedig ar ganlyniadau mewn achosion blaenorol mae hi'n bwysig iawn i gyfreithiwr eu dysgu ar ei gof a'u hadnabod mewn llyfrau trwchus. Yr oedd Gordon-Roberts wedi casglu tua chant a hanner o wahanol enghreifftiau o achosion a gydnabyddid yn sylfeini mewn gwahanol agweddau o'r gyfraith. Aeth i drafferth i rifo'r achosion hyn a dysgodd eu hadnabod wrth y rhifau a'u cofio fel y byddai'r gofyn. O ganlyniad, ni fyddai fyth yn gorfod crafu fel iâr yn y llyfrau gleision trwchus. Gyda'i feddwl chwim a'i ddychymyg byw nid rhyfedd iddo ddod yn amddiffynnwr mor enwog yn llysoedd Môn. Llwyddai'n ddeheuig gyda'i ddawn artistig i guddio sawl brycheuyn yn ei gleient. Fe ddywedir amdano na ofynnodd erioed gwestiwn i dyst mewn llys heb wybod yr ateb ymlaen llaw ac felly fe wyddai i'r dim pa gwestiwn i'w ofyn ac, yn bwysicach, fe wyddai pa gwestiwn i'w osgoi. Wrth amddiffyn, deuai deigryn i'w lygaid weithiau yn ei ymdrech i ddylanwadu ar ynadon y fainc gan bwysleisio mai gwrthrych tosturi ac nid adyn drwg oedd y person a amddiffynnai.

Yr enghraifft orau o'i allu fel cyfreithiwr yw'r achos a adwaenir fel 'Llofruddiaeth Traeth Coch'. Yn sgil yr achos hwn daeth enw Gordon-Roberts yn amlwg iawn yn y byd cyfreithiol. Cyhuddwyd Nettleton, gŵr o Lannau Mersi, o lofruddio'i wraig a'i chladdu yn y tywod ar Draeth Coch ym Môn. Yn ddiarwybod iddo'i hun dewisodd lecyn a oedd ar wely afonig ac, o ganlyniad, buan iawn y daeth y corff i'r wyneb. Paratôdd Gordon-Roberts yr amddiffyniad mwyaf manwl ac ni adawodd yr un garreg heb ei throi yn y gwrandawiad rhagarweiniol. Ar sail croesholi treiddgar Gordon-Roberts cafwyd Nettleton yn ddieuog o lofruddiaeth a charcharwyd ef am dair blynedd am ddynladdiad. Fe ddywedodd Barnwr Uchel Lys pur enwog ymhen rhai blynyddoedd wedyn, *'There is a man walking the streets of Liverpool today who would have hung by his neck had it not been for the remarkable adroitness of Mr Gordon-Roberts' cross-examination at the preliminary hearing.'*

Mewn achosion dibwys a diobaith defnyddiai Gordon-Roberts dacteg ysgafn ac ysmala; nid deigryn y tro hwn ond gwên, a gorau oll os byddai'r wên yn troi'n chwerthin. Unwaith, mewn achos o dadogi, yr oedd yn amddiffyn un a gyhuddwyd o dadogi tri phlentyn, a'r tri achos yn cael eu gwrando gyda'i gilydd. Er mor gyffredin oedd achosion o'r fath bryd hynny, yr oedd cynifer â thri chyhuddiad yn erbyn un diffynnydd yn bur anghyffredin. Symudai llygaid barcud y cyfreithiwr heibio i'r tair mam ifanc at y tad gwelw a phenisel, ac meddai'n sydyn gan newid ei oslef ac edrych i gyfeiriad cadeirydd y fainc, *'I do not know how he does it, Your Worships, he must have a bicycle or something.'* Brawddeg a laciodd holl dyndra'r llys y bore hwnnw.

Ar achlysur arall yr oedd Gordon-Roberts yn amddiffyn un o geffylwyr Gwalchmai a gyhuddwyd o lwgu ei ferlod. Dadleuai swyddog o'r RSPCA yn effeithiol iawn fod y ceffylau'n dioddef o ddiffyg porthiant. Cododd yr amddiffynnwr yn araf ac yn hynod o ddidaro, arhosodd yn ei ddwbwl, ei gorff eiddil fel pe'n llai nag arfer a'i wyneb cul yn welw iawn. Syllodd yn hir i gyfeiriad y swyddog nes peri i hwnnw deimlo'n bur anniddig. Yn ddisymwth daeth cwestiwn, un o'r cwestiynau mwyaf annisgwyl a glywyd mewn llys barn erioed, 'Ydw i'n denau?' Doedd dim ond un ateb i'r fath gwestiwn, sef ateb cadarnhaol. Daliodd y cyfreithiwr i ymlid y tyst: 'A fyddech chi'n mynd mor bell â dweud fy mod i'n denau iawn?' Cytunodd y swyddog fod y cyfreithiwr yn denau iawn. Roedd y cwestiwn nesaf yn gwbl dyngedfennol i'r amddiffyniad: 'Ar sail eich atebion hyd yma, a ddywedech chi fy mod i'n cael cam dybryd?' Cornelwyd y swyddog a chafodd y ceffylwr o Walchmai ei ryddhau.

Dyna'r athrofa a dyna'r athrylith y bu Rolant o Fôn dan ei aden am ddeuddeng mlynedd. Wrth draed y Gamaliel hwn y dysgodd y gyfraith a thipyn o'r proffwydi hefyd. Yr oedd Gordon yn dal i fyw yn Oes Fictoria ac yn mynnu ei ffordd ei hun gartref gyda'i deulu ac yn y swyddfa gyda'i staff. Er mai Saesneg a siaradai â phawb, nid oedd yn wrth-Gymreig, ac er bod ei wleidyddiaeth mor bell oddi wrth y werin, ni ellid ei gyhuddo o fod yn wrth-werinol ychwaith.

Serch hynny, mae'n anodd dirnad sut yr oedd Rolant ac yntau — dau mor wahanol — yn medru cyd-fyw yn yr un swyddfa ac yn yr un llys. Cerddai Gordon-Roberts i'w waith mewn siwt ddu resi meinion, crys gwyn a thei ddu. Cariai fag lledr mwy na llawn. Ar y llaw arall, cariai Rolant ei lyfrau a'i bapurau yn noeth dan ei gesail, a rhwng cadw'r rheini efo'i gilydd a chadw tân yn ei getyn, yr oedd yn gryn ymdrech iddo gyrraedd y swyddfa o gwbl.

Ond, er y gwahaniaethau hyn, yr oedd gan y cyw-gyfreithiwr barch neilltuol i'w feistr a'i athro ac yr oeddynt, wedi'r cwbl, yn gyfeillion. Byddai Rolant, yn y blynyddoedd cynnar, yn cyd-deithio efo'i feistr i'r llys ac yn cario'i lyfrau a châi aros yn y llys drwy'r dydd i wrando'r achosion. Ymgollai yn nadleuon y cyfreithwyr a rhyfeddai at eu huodledd a'u harabedd — a hynny yn Saesneg! Yr oedd y cyfreithwyr hyn yn nhraddodiad yr hen bregethwyr Ymneilltuol, ac wrth gwrs yr oedd rhai ohonynt yn feibion pregethwyr amlwg yn y sir — Cledwyn Hughes yn fab i H. D. Hughes, Caergybi a Dafydd Cwyfan Hughes yn fab i Cwyfan Hughes, Amlwch. Synhwyrodd Rolant fod yn y llys gynulleidfa i berfformio iddi, cynulleidfa a werthfawrogai ddawn ymadrodd a ffraethineb slic. Erbyn ei ddyddiau ef yr oedd mwy o gwmpawd i'w ddoniau ar lwybr y gyfraith nag yn y pulpud.

Bu Gordon-Roberts farw yn 1957 a thalwyd teyrnged gynnes iddo gan Rolant. 'Bu fel tad i mi am flynyddoedd,' meddai, 'a minnau fel mab iddo yntau. Rhoddai arian imi brynu hufen-iâ yn siop Dodd yn union fel y gwnâi tad i'w blentyn ei hun. Cymaint oedd ei awydd imi lwyddo nes y prynodd foto beic imi — breuddwyd pob llanc ifanc. Ond byr fu oes "Douglas", ar un o'i siwrneiau pwyllog aeth ar dân, ac fe'i llosgwyd yn lludw yn y fan a'r lle. Fy mhryder pennaf oedd torri'r newydd i fy meistr. Dwedais yr hanes wrtho mor edifeiriol ag y gallwn, ond diolch byth fe dorrodd ar fy nhraws — "Paid â phryderu, yr unig beth a ddigwyddodd ydi'r ffaith fod yr hen foto beic wedi'n rhagflaenu ni i'r tân tragwyddol".'

Aeth Rolant ymlaen i sôn yn ei deyrnged fel y pwysleisiai ei feistr mor bwysig oedd i dwrnai droi yn y cylchoedd dethol. Un o'r cylchoedd hynny oedd cymdeithas y golffwyr. Yn yr oes honno, mae'n debyg mai'r detholedig rai yn unig a fyddai'n chwarae golff. Manteisiai Gordon ar bob cyfle i ddysgu hanfodion y gêm i Rolant. Gan mor anobeithiol oedd y disgybl a'r athro bu raid cadw draw o'r maes priodol ac ymarfer ar y ffordd fawr efo carreg fechan yn bêl a hen ffon fagl fel clwb. Wedi'r ymarferiadau hyn ar y ffordd penderfynodd Gordon fynd i faes golff pwrpasol. Ond os oedd Rolant yn ddi-glem ac yn beryglus ar y ffordd yr oedd yn saith gwaeth ar y maes pwrpasol. Ni fyddai'n hir, yn ôl Gordon, na fyddai wedi digroenio'r maes. 'Yr wyt yn debyg iawn i Philips Siop Star,' meddai Gordon, 'yn brifo mwy ar y ddaear o lawer na'r bêl.'

Ond yn y pethau hyn i gyd fe dyfodd perthynas neilltuol o agos ac annwyl rhwng Gordon-Roberts a'i glerc. Cydnabu Rolant na châi fyth well athro a chyfreithiwr i'w batrymu ei hun arno. Ni fu erioed galetach na manylach gweithiwr na Gordon-Roberts ac fe ddisgwyliai hynny gan bawb o'i staff. Gwnaeth ddefnydd llawn o bob dawn a chynneddf o'i eiddo yn ei ymdrech i amddiffyn y troseddwr. Fe hogwyd doniau ac uchelgais Rolant yn yr awyrgylch yma dros flynyddoedd lawer. Cawn dinc o'i hiraeth yn y gerdd goffa hon:

Chwiliwch amdano o lys i lys
Neu yn y Llan gerllaw;
Gwaeddwch ei enw o bennau'r tai
Ond ni ddaw.

Galwch amdano at fwrdd y wledd
Gyda'i arabedd a'i hwyl;
Ni chlyw mohonoch yn cadw stŵr
Wrth gadw gŵyl.

Dan groes o flodau yr erys mwy,
A glesni'r fro ar ei wedd;
Mae cwsg a llonydd a gorffwys i'w gael
Yn y bedd.

Yr oedd dylanwad Gordon-Roberts yn amlwg iawn ar agwedd Rolant tuag at fywyd. Credai yntau mai trwy galedwaith y dylai dyn fyw. Ni chredai'r oes honno y dylai neb fwyta bara seguryd; yn hytrach, cefnogai ethos gonestrwydd a chaledwaith. Bu'r agwedd meddwl yma yn help mawr i Rolant ddal ati trwy gydol chwe blynedd ei brentisiaeth o 1934 hyd 1940. Bu raid iddo weithio'n galetach gan na fu mewn coleg cyn dechrau ar ei erthyglau. Golygai'r erthyglau dri arholiad. Yr oedd yn angenrheidiol cael peth gwybodaeth o Ladin i'r arholiad cyntaf — 'y rhagarweiniol'. Yn ffodus, fe ddysgodd Rolant beth Lladin yn yr Ysgol Sir ac mae'n amlwg, yn ôl ei gyfoedion ysgol, mai ef oedd un o oreuon y dosbarth yn yr iaith honno. Byddai wedi gorffen ei wers Ladin o flaen neb ac yna deuai'r plant eraill i gyd o'i gylch i gopïo. Nid rhyfedd felly iddo basio'r arholiad cyntaf yn llwyddiannus iawn. Bu yr un mor llwyddiannus yn y ddau arholiad arall hefyd — yr arholiad canolraddol a'r un terfynol. Gyda'i brofiad a'i ddiddordeb yng ngwaith y llys a'i ddygnwch i ddal ati dan amgylchiadau digon anodd ni ryfeddwn iddo ysgrifennu yn ei ddyddiadur ar yr unfed ar bymtheg o Dachwedd 1940: 'Derbyn Tystysgrif Weithredol, gan y Gymdeithas Gyfreithiol'. Bellach yr oedd Rolant o Fôn wedi ei dderbyn yn gyfreithiwr.

Yn naturiol, ac yntau wedi ei gymhwyso i'r swydd o gyfreithiwr, daeth ei dymor i ben yn swyddfa Gordon-Roberts. Gadawodd Langefni am y tro cyntaf; cyn hynny, nid adnabu dref na chymdeithas arall. Ymunodd â chwmni pur enwog eto, W. R. Jones yn nhref Amlwch. Yr oedd W.R. yn hwylio i gadw noswyl erbyn hyn gan adael y busnes yng ngofal cyfreithiwr ifanc o'r enw Emyr Ditton Jones a oedd wedi ymuno yn y bartneriaeth. Gyda dyfodiad Rolant at y cwmni ymadawodd Emyr Ditton i'r Awyrlu a daeth gofal y swyddfa yn Nhrehinion ar Rolant.

Erbyn hyn yr oedd yr Ail Ryfel Byd yn siglo popeth ym Mhrydain ac Ewrop ond llwyddodd Rolant, gyda chymorth Robert John o Ben-y-sarn a Megan o Fodffordd, i gadw pethau i fynd yn swyddfa W. R. Jones. Yr oedd enw W.R. mor enwog yn nhref Amlwch ag oedd enw Gordon-Roberts yn nhref Llangefni. Bu'r swyddfa hon yn ysgol dda i Robert John ac fe fanteisiodd ar bob cyfle i'w addysgu'i hun yn y gyfraith. Ef oedd Ysgrifennydd cyntaf Undeb Amaethwyr Cymru a chyflawnodd orchestwaith yn sefydlu'r Undeb hwnnw. Gwnaeth R.J. waith cyfreithiol dros dymor maith i ffermwyr Môn ac fe gydnabyddai ei ddyled i Rolant gyda gwên hiraethus ar ei wyneb.

O fewn dwy flynedd ar ôl symud i Amlwch bu dau ddigwyddiad pwysig yn hanes Rolant. Cyplysodd y *Daily Post* y ddau ddigwyddiad â'i gilydd ar y cyntaf o Hydref 1941. 'Priodas, bardd Cadeiriol Eisteddfod Genedlaethol Hen Golwyn.' Enillodd Rolant ei Gadair Genedlaethol gyntaf fis Awst y flwyddyn honno. Ym Medi 1941 priododd â Jennie Lloyd Williams, merch y Royal Oak, Bodffordd. Er bod digon o newyddion o faes y gad i lenwi pob papur newydd ar y pryd, mynnodd papurau'r

Gogledd — Cymraeg a Saesneg — roi gofod i briodas y bardd-gyfreithiwr ifanc.

Aeth Rolant a Jennie i gychwyn eu bywyd newydd ym Mhorth Amlwch lle y treuliasant ddeng mlynedd hynod o hapus. Yr oedd trigolion y Borth yn falch o gael twrnai i fyw yn eu plith a'i gael yn gymydog hwylus. Cofia Jennie fel y deuai sawl un i'r drws mewn cynddaredd, a chyn cyfarch na chyflwyno, saethu'r gorchymyn, 'Wnewch chwi ddweud wrth Mr Jones am sgwennu i hon a hon?' Ond roedd gan Jennie a Rolant ddigon o adnabyddiaeth ac o dosturi at y natur ddynol i ymdopi â sefyllfa felly.

Yn ddiddorol iawn, dechreuodd Rolant ei dymor yn Amlwch gydag ennill Cadair y Genedlaethol. Ar derfyn ei dymor yno enillodd ei ail Gadair Genedlaethol yn Nolgellau yn 1949.

Yn y Llys

Bu hen dref Biwmares yn atyniad i bobl Môn drwy'r blynyddoedd. Cynhelid ffeiriau yno er yn gynnar iawn yn ôl *Llyfr Plygain* (1612) ac yno y cynhelid y llysoedd barn — Llys yr Ynadon a'r Frawdlys. Teithiai William Bwcle, ysgweier y Brynddu, Llanfechell yno'n fisol fel un o'r rheithgor. Y llysoedd hyn fyddai'r brif atynfa i werin Môn. Ymddiddorent yn nedfrydau'r llysoedd a byddai'r cosbau cyhoeddus yn ddifyrrwch pur i'r tyrfaoedd. Os byddai yno grogi — y pennaf difyrrwch — byddai pobl Môn bron i gyd ym Miwmares i'r achlysur. Byddai'r fynwent yn llawn o bobl yn sathru'n ddi-barch dros y cerrig beddau, a chan y gallai'r disgwyl fod yn hir âi rhai o'r gwragedd â'u gwau i'w canlyn. Yno yr eisteddent ar y cerrig oer a llygaid pawb ar y 'drws crogi' ym mur y carchar ar draws y ffordd i'r fynwent. Parhaodd y tynnu yma i Fiwmares hyd ganol y ganrif ddiwethaf pryd y crogwyd Richard Rowlands yn 1856, sef yr olaf i'w grogi yno.

Yn y ddeunawfed ganrif, dedfrydwyd gwraig dlawd i alltudiaeth o saith mlynedd am ladrad. Yma, ym Miwmares ger bron Llys y Sesiwn Fawr y cyhuddwyd lladron enwog Crigyll. Gwnaeth Morris Owen y cyfreithiwr gryn enw iddo'i hun yn yr achos hwn wrth ddadlau i gapten y llong ei rhedeg ar y creigiau'n fwriadol. Ond yn ôl Lewis Morris, bonllefau cynhyrfus y lladron eraill yn y llys ac yn y dref fu'n foddion i droi'r fantol o blaid y lladron hyn. Yn yr un llys ym mis Mawrth 1900 y dedfrydwyd Coch Bach y Bala i bum mlynedd o garchar a llafur caled, er siomiant amlwg i'r dorf a oedd yno i gefnogi'r troseddwr poblogaidd hwnnw.

Gydag amser, fe symudodd y diddordeb oddi wrth y gosb at y cyfreithiwr. Wedi'r cwbl, hwn oedd yn amddiffyn y werin rhag y gosb, ac roedd yn naturiol i'r dadleuwr a'r areithiwr cyhoeddus apelio at bobl a oedd wedi eu trwytho mewn pregethu grymus.

Yr oedd ym Môn draddodiad barnwrol maith a dyna, debyg, yw'r rheswm pam y cododd cynifer o gyfreithwyr yno. Yn y ganrif ddiwethaf roedd y llys barn yn llwyfan da i arddangos dawn areithio a sgiliau dadlau a daeth sawl cyfreithiwr i amlygrwydd gwlad ar gyfrif ennill achosion anodd. Go brin y gwyddem ni ddim am Artemus Jones oni bai am ei lwyddiant yn amddiffyn Siôn Elias o Lanfaethlu a saethodd ei fab ei hun. Amddiffynnodd Artemus yn rymus fel pe bai Siôn Elias mor ddieuog â'r John Elias a fu ym Môn ganrif o'i flaen! Wedi'r achos yr oedd llawer mwy o sôn am yr amddiffynnwr nag am Ellis Jones Griffiths yr erlynydd.

Rolant o Fôn, mae'n debyg, oedd yr olaf o'r hen deip gwreiddiol o gyfreithiwr a ddefnyddiai bob cynneddf o'i eiddo a phob cryfder a gwendid yn ei achos er mwyn cael ei faen i'r wal. Byddai rhai o'r cyfreithwyr ifanc yn amheus o dactegau Rolant ar brydiau a theimlent ei fod yn tueddu i ddwyn anfri ar y llys. Ond, heb os, gyda'i acen lydan a'i ffraethineb gwreiddiol fe ddaeth â llawer iawn o awyr iach i'r llys. Yr oedd ynddo gymaint o ddawn y bardd a'r llenor a'i gwnâi mor wahanol i bob cyfreithiwr arall. Fel arfer safai yn hamddenol gerbron y fainc gan droi a throsi dalen o bapur yn ei law nes rhoi'r argraff, wrth dynnu'r ddalen at ei drwyn, fod arni ddigon o dystiolaeth i achub unrhyw gleient, ond, mewn gwirionedd, byddai'r papur yn frith o'i ymdrechion i gyfansoddi rhyw gerdd neu'i gilydd! Gweithiai'n fanwl ac yn ddyfal ar ei achosion, gan droi pob carreg. Yna wedi gosod ei achos yn bwyllog gerbron y fainc, gadawai i'w ddychymyg barddol a thipyn o hwyl y pulpud glensio'r hoelen. Ei gryfder fel twrnai, heb os, oedd ei adnabyddiaeth a'i gydymdeimlad â'r natur ddynol. Yr oedd ynddo ddawn ryfeddol i adnabod pobl o bob gradd, ac, o ganlyniad, ni allai sefyll yn wrthrychol y tu allan i'w gleientiaid. Eu teimladau hwy oedd ei deimladau yntau hefyd. Ni fedrai fyth adael ei waith yn y swyddfa na'i achosion yn y llys; deuai â'r cyfan adref i'w ganlyn. Fe âi yn hwyr y nos weithiau i ymweld â theuluoedd yn eu trallod dros eu plant. Deuai'r teimladau hyn yn amlwg ynddo yn y llys; gyda'i lais treiddgar a chrynedig byddai ei amddiffyniad yn hynod o effeithiol.

Yr oedd yn adnabod ynadon y llys yn dda hefyd. Gwyddai i'r dim pa bluen i'w defnyddio a pha dechneg i'w hosgoi. Er mor debyg i'w gilydd oedd ynadon y dyddiau hynny, fe lwyddai ef i ganfod cryn amrywiaeth o dan y croen. Nid yr un ffordd y byddai'n perswadio Syr William Hughes-Hunter, y Brynddu a Richard Davies, Yr Erw, cadeirydd mainc y Fali. Ac fe fyddai raid cael rhyw dacteg wahanol eto efo Robert Roberts ar fainc Caergybi. Ond pwy bynnag a fyddai ar y fainc safai Rolant yn gadarn dros hawliau'r anffodusion a amddiffynnai. Ar un achlysur ymdrechai'n lew mewn achos digon anobeithiol o flaen y fainc yn Amlwch. Erbyn eisteddiad y pnawn yr oedd amynedd Syr William yn dechrau pallu a chyhuddodd Rolant yn agored o wastraffu amser. Ni feiddiai neb ddweud gair mewn ymateb i feirniadaeth gan Sgweiar y Brynddu ond roedd cydymdeimlad Rolant at ei gleient yn gymaint nes iddo droi at y Barwnig yn chwyrn ond urddasol a'i atgoffa o'r llw a gymerodd fel Ynad Heddwch.

Ar gyfrif ei ffraethineb iach a'i agosatrwydd gwerinol daeth Rolant yn gryn ffefryn yn llysoedd Môn. Fe allesid dweud mai cyfreithiwr oedd wrth ei alwedigaeth ond mai llenydda a barddoni oedd ei fywyd. Byddai cryn dyndra weithiau rhwng y bardd a'r cyfreithiwr ynddo. Mae'n debyg bod y swyddfa yn lle rhy gartrefol gan y manteisiai pobl ar eu cyfle a throi o fusnes y gyfraith i fyd y bardd. Byddai amryw yn galw heibio gyda chais am bwt o farddoniaeth erbyn priodas y ferch y Sadwrn dilynol, a dyna lle byddai Rolant yn holi'n ofalus am rinweddau'r ferch fel pe bai'n mynd i'w hamddiffyn mewn brawdlys. Dro arall, ceid gofyn cân ar achlysur pen-blwydd a byddai raid i Rolant druan ollwng popeth a dechrau cyfansoddi. Arfer cyffredin arall yn y dyddiau hynny oedd cael marwnad ar farwolaeth aelod o'r teulu, ond beth bynnag fyddai'r dasg, rhoddai Rolant sylw i'r ceisiadau hyn i gyd. Ar un achlysur, ac yntau'n digwydd bod yn Llangefni, galwodd Dic Goodman o Fynytho heibio i Rolant. Clywsai gymaint o sôn amdano, a heb feddwl am funud fod cyfreithiwr yn gweithio i batrwm amser, galwodd Dic yn ei swyddfa a holi a fyddai modd cael gweld y twrnai. Cafodd atebiad pendant iawn gan y ferch y tu ôl i'r cownter, sef bod ei gais yn amhosibl am ddyddiau gan brysured oedd ei meistr. Ar hyn daeth Rolant i'r golwg gan gyfarch y dieithryn yn null y Monwysyn, 'O ble'r ydach chi'n dŵad?' 'O Fynytho. Doedd gen i ddim isio dim arbennig,' cyffesodd Goodman. 'Wedi'ch clywad chi ar y weiarles oeddwn i, ac roeddach chi'n dda felltigedig hefyd.' Arweiniwyd y bardd o Fynytho i gysegr Rolant o Fôn. Yno y buont drwy'r prynhawn a'r piser bach yn fwy na llawn!

Dro arall galwodd Alun Williams y twrnai i'w weld ar neges dros ei gwmni. Cyn i Alun druan gael cyfle i ddweud ei neges yr oedd Rolant ar ei liniau ar lawr y swyddfa yn arddangos teganau Siôn Corn y plant. Syllai'r cyfreithiwr ifanc mewn syndod ar y cyfreithiwr a'r bardd nodedig yn ymgolli ym myd teganau ei blant. Ond un felly oedd Rolant. Yr oedd mor wahanol i bob cyfreithiwr arall ac, o ganlyniad, ni phrofodd erioed fyd bras. Yr oedd yn llawer rhy garedig a thosturiol wrth ei gleientiaid ac fe dalodd sawl dirwy drostynt o'i boced ei hun.

Nid rhyfedd fod cymaint o straeon doniol a digri am ei helyntion yn y llys. Bellach aeth llysoedd barn Môn, fel y rhan fwyaf o lysoedd y wlad, mor ddi-liw â chyfarfod cyfarwyddwyr cwmni yn trin a thrafod ffeithiau a ffigyrau oer.

Ar dywydd oer y gaeaf deuai Rolant i'r Llys Sirol yn Llangefni yn gwisgo côt fawr ddu gyda belt lledr llydan ac arno fwcwl mawr, yna gŵn cyfreithiol drosti. Ni fu'r fath olygfa erioed mewn llys, a chofier bod cryn bwys ar wisgo'n weddaidd mewn llys yn yr oes honno. Gan mai'r Barnwr Ernest Evans a eisteddai yn Llys Llangefni gan amlaf fe gâi Rolant bardwn. Yr oedd gan Ernest Evans feddwl uchel ohono a chredai na allai wneud dim o'i le, ac wrth gwrs, manteisiai Rolant ar y berthynas arbennig rhyngddo ef a'r Barnwr. Bu Ernest Evans ar un cyfnod yn Ysgrifennydd Preifat i Lloyd George ac yn Aelod Seneddol dros Geredigion.

Yr oedd gan Rolant y gallu hollbwysig hwnnw i weld yr ochr ddigri mewn achosion ac fe achubodd groen sawl cleient trwy hynny. Bu llawer achos o natur felly yn llys Llannerch-y-medd, amryw ohonynt yn ymwneud â photsio. Gan fod potsio yn fywoliaeth i sawl un ym Môn yn y gorffennol fe ymddangosent yn gyson yn y llys. Ar un achlysur, a Rolant ar ei orau yn achub cam un o botswyr mwyaf adnabyddus yr ynys, pwysleisiodd mai helfa fechan iawn oedd gan ei gyfaill y noson y daliwyd ef. Tra oedd yr amddiffynnwr yn dyfalu am ryw rinwedd yn y potsiar druan, fe dorrwyd ar ei draws gan Forcer-Evans, Clerc y Llys a fynnai atgoffa'r fainc o gyn-droseddau'r potsiar — yr oedd y rheini'n rhaffau o hyd. Amlwg fod y troseddwr hwn yn hen, hen gynefin â syrthio ganwaith i'r un bai ac ychydig iawn o obaith am achubiaeth oedd iddo. Gan fod Rolant am fynnu anwybyddu gorffennol ei gleient, dechreuodd y clerc ddarllen y cyn-droseddau, a'r cyfan ohonynt yn ymwneud â photsio. Gwrandawai'r ynadon gan synnu fod yna gymaint ag un ffesant ac ysgyfarnog ar ôl ym Môn. Torrodd cwestiwn y cadeirydd ar draws y clerc, *'Well, Mr Jones what can you say now about this man?'* Cododd Rolant yn bwyllog gan ateb, *'I think you should deal leniently with him, My Worships, he is after all, one of the best customers of the Court.'* Rhyddhawyd y potsiar.

Ar y cyfan byddai'r dirwyon am botsio yn drymach nag odid unrhyw ddirwy arall ac, wrth gwrs, anfonwyd cannoedd i'r carchar. Un rheswm amlwg am hynny mae'n debyg yw'r ffaith mai eiddo amryw o aelodau'r fainc oedd helfa'r potsiar gan amlaf. Yn llys Llannerch-y-medd eto, cafodd un o gleientiaid Rolant bum punt o ddirwy am botsio, ac roedd pum punt yn swm sylweddol o arian bryd hynny. Mynnodd Rolant gyfle i annerch y llys ac i ddatgan ei anfodlonrwydd ynglŷn â'r ddirwy afresymol. 'Mae'n beth od,' meddai, 'y caiff dyn ddirwy o bum punt am saethu ceiliog ffesant, ond pe bai wedi hanner lladd ei wraig fe gâi ddirwy o hanner coron! Bernwch chwi!'

Fe gyfrifid lladrata dafad hefyd yn drosedd ddifrifol iawn yn yr hen oes. Yn hen fynwent Aberdaron gwelir bedd dyn ifanc a grogwyd am ddwyn dafad yn y ddeunawfed ganrif. Yn naturiol, byddai'r gosb yn drwm am drosedd o'r fath gan fod y ddafad yn anifail hawdd iawn i'w lladrata. Mae hanes am Rolant yn amddiffyn un a gyhuddwyd o ddwyn dafad ac yn ei anerchiad dros y cyhuddedig dywedodd, â'i dafod yn ei foch, 'Fy Arglwydd, yn yr hen amser byddai'r meistri tir yn dwyn y mynydd oddi ar y ddafad ac yn cael eu hanfon i Dŷ'r Arglwyddi. Yn awr, yr ydych yn anfon y dyn hwn i garchar am ddwyn y ddafad oddi ar y mynydd! Dydw i ddim yn gofyn ichwi ei ganmol am hynny dim ond ei anfon adref at ei deulu.'

Byddai llawer o droseddau llysoedd Môn yn ymwneud

â byd amaeth — fel dwyn neu gam-drin anifeiliaid — ac er nad oedd yno lwynog pedwar troed i darfu ar y ffowls, fe geid digon o rai deudroed. Deuai llawer iawn o borthmyn ffowls, yn enwedig gwyddau a hwyaid, o Loegr i Fôn cyn y Nadolig i brynu ffowls. Deuai llawer iawn o'r porthmyn hyn yn y ddeunawfed ganrif i Fôn i brynu gwyddau ar gyfer ffeiriau enwog Nottingham. Yr oedd cryn dradio i fyny hyd at ganol y ganrif hon yn arbennig felly yn y pedwardegau. I un o'r rhain y gwerthodd tyddynnwr o Lannerch-y-medd ei wyddau i gyd ac ychydig o dwrcïod. O gyffiniau Warrington y deuai'r porthmon dan sylw ac roedd yn gymeriad hynod o ddymunol a hawdd iawn delio ag ef. Addawodd y byddai'r tâl am y ffowls yn cyrraedd gyda'r troad. Ond, yn anffodus, ni welwyd yr un geiniog am gynhaeaf Nadolig y tyddynnwr druan. Doedd dim amdani ond llythyr twrnai, a phwy yn well na Rolant o Fôn am hwnnw? Fe fyddai'n haws rhoi disgrifiad o'r da pluog i Rolant na'r un twrnai arall. Ond er llythyru doedd dim yn tycio efo'r porthmon o'r wlad bell. Aeth yn achos llys gyda Rolant yn dadlau achos y tyddynnwr. Yr oedd y gwrandawiad yn y Llys Sirol ger bron Ei Anrhydedd y Barnwr Ernest Evans. Cymerodd Rolant gwmpas llydan yn ei anerchiad i'r Barnwr gan gychwyn trwy ganmol Pont y Borth. Soniodd am ei rhinweddau a'i manteision i Ynys Môn. Yna, troes yn sydyn i gondemnio'r Bont a ganmolai gynt. 'Os yw'r Bont yn llwybr bendith i Fôn mae'n llwybr melltith hefyd,' meddai. 'Onid dros y bont hon y llithrodd y llwynog o Warrington bell a gwyddau'r tyddynnwr hwn ar ei gefn?' Yna mewn tôn hollol wahanol troes at y Barnwr i'w atgoffa o stori Siôn Blewyn Coch yn *Llyfr Mawr y Plant*. Rhoes fras gyfieithiad o'r stori honno er boddhad rhyfeddol i'r Barnwr. Bu raid i'r Siôn Blewyn Coch o Sais dalu'n ddauddyblyg am y ffowls o Lannerch-y-medd!

Yr oedd adnabyddiaeth Rolant o'r natur ddynol yn

fanteisiol iawn iddo i ddarllen cymhellion y troseddwyr. Ceir sawl enghraifft o hyn mewn achosion o droseddau gan bobl ifanc. Doedd Rolant ddim wedi anghofio iddo fod yn ifanc ac yn ddireidus ei hun. Gwyddai o'r gorau mai direidi iach a fyddai y tu ôl i rai achosion a gyfrifid yn bur ddifrifol, fel yn achos y ddau ifanc o Ben-y-sarn a gyhuddwyd o fwrgleriaeth ym Mhlas Dulas. Cyfrifid bwrgleriaeth — yn enwedig o'r Plas — yn achos difrifol iawn. Wrth amddiffyn y bechgyn gwelodd Rolant stori dda yn yr holl ddigwyddiad ac yng nghesail y stori honno cyflwynodd amddiffyniad hynod o lwyddiannus. Rhoes ddarlun byw o'r ddau lanc yn rhodianna ar Fynydd Eilian ddiwetydd braf o Fehefin. Wrth nesu at y plasty cytunodd y ddau y byddai'n werth cael golwg ar yr hen le ac yn arbennig ar yr organ grand yng ngaleri'r cyntedd. Yr oedd rhyw si ar led yn yr ardal fod yr hen blasty i gael ei addasu i fagu twrcïod ar ei dri llawr, ac yn sicr ni fyddai galw am wasanaeth yr organ i hynny! 'Na,' meddai Rolant, 'nid achos o fwrglera sydd yma, ond awydd dau ŵr ifanc i gael un olwg — yr olwg olaf dichon — ar organ Plas Dulas? Gwrandawai'r Ynadon yn llawn edmygedd ar stori'r cyfreithiwr yn troi achos o fwrglera yn edmygedd o'r cain a'r prydferth. Yr oedd aelodau'r fainc yn gytûn iawn dros ddedfryd o ddieuog ar y ddau lanc o Ben-y-sarn!

Bu Rolant yn amddiffyn achos tebyg yn y Llys Sirol yn Llangefni pryd y cyhuddid glaslanciau o Lanfachraeth o ymosod yn anweddus. Dyma eto achos pur ddifrifol a allai olygu carchar. Sylfaenodd Rolant ei amddiffyniad ar ddau air yn unig. Yn ôl yr amddiffyniad, yr unig beth a wnâi'r bechgyn oedd 'cadw reiat' — term llafar digon cyffredin ym Môn. Yr oedd yr erlynydd, bargyfreithiwr o Sais uniaith, yn y niwl yn lân ac ni allai yn ei fyw ddilyn y fath ymresymu. Holodd yn betrus beth ar wyneb y ddaear oedd ystyr y term estronol. Rhoes Rolant araith fyrfyfyr i'r bargyfreithiwr dieithr ar arferion llanciau a llancesau Llanfachraeth ar nos Sadwrn. Gan nad oedd ganddynt unman o bwys i fynd na dim byd arbennig i'w wneud, doedd dim amdani ond 'cadw riad'. Os oedd hi'n niwlog ar yr erlynydd diarth cynt yr oedd hi'n nos dywyll arno wedi i Rolant orffen baldorddi ynghylch hogia Llanfachraeth ar nos Sadyrnau. Yr oedd yn ddigon cyfrwys i asio'r ddau air yn un rhag i'r gwreiddyn 'riot' ddod i'r amlwg. Mae'n debyg mai Cymry glân oedd y rheithgor ac yn medru dilyn ymresymiad Rolant yn iawn. Fodd bynnag, fe gollodd yr erlynydd ei limpyn a gollyngodd yr achos yn erbyn bechgyn Llanfachraeth am 'gadw riad'. O ganlyniad i'r achos hwn gwnaed cais gan aelodau Cylchdaith Caer a Chymru i rwystro twrneiod i ymddangos gerbron y Llys Chwarterol.

Byddai'r Gymraeg yn achos cryn ddryswch yn y llysoedd ym Môn ar brydiau, ac fe fyddai Rolant yn siŵr o wneud defnydd o achlysuron felly i'w ddibenion ei hun. Ond byddai'r esgid ar y droed arall weithiau pan fethai â chael gafael yn y gair Saesneg. Ar un achlysur yr oedd yn ymdrechu i amddiffyn un o'r lladron hynny a gyhuddid yn barhaus o ladrata rhyw fanion bethau dibwys, am fod ynddo wendid at bethau felly. Yn ei amddiffyniad pwysleisiodd fod gwendid yn ei gleient o ddwyn er mwyn dwyn oherwydd bod rhai pethau yn demtasiwn iddo. Cofiodd yn sydyn fod yr un gwendid yn perthyn i rai adar sydd yn dwyn unrhyw beth a ddisgleiria ond aeth Rolant druan yn fud cyn cloi ei gymhariaeth. Plygodd yn bwyllog a sibrwd yng nghlust yr agosaf ato, sef Dafydd Cwyfan, 'Beth gythral ydi Jac Do yn Saesneg, dwad?' Erbyn hyn yr oedd y gymhariaeth wedi colli ei grym a chollodd yntau yr achos hefyd.

Ar wahân i achosion o botsio a lladrata, achosion o dadogi neu 'achosion bastardiaeth' fel y'u gelwid a fyddai'r achosion mwyaf cyffredin. Yn yr oes honno cyn bod sôn am brofion gwaed a DNA fe ddibynnai'r canlyniad ar gryfder neu wendid y cyfreithiwr. Yn un o'i achosion cyntaf wedi iddo adael Gordon-Roberts, yr oedd ei hen feistr yn erlyn mewn achos o dadogi a Rolant yn amddiffyn y tad tybiedig. Yr oedd yn achos gwan ryfeddol i'w amddiffyn ac o ganlyniad yr oedd Rolant yn tin-droi i chwilio am ddeunydd dadl yn rhywle. Ar draws y bwrdd iddo yr oedd Gordon-Roberts yn ei Saesneg gorau. Bu'r amddiffynnwr yn dadlau'n hir ynglŷn â'r man a'r lle y cyflawnwyd y drosedd dybiedig. 'Yn ôl yr erlynydd, bu'r weithred yng nghefn Awstin 7 y diffynnydd. Gwahoddodd Rolant aelodau'r fainc i edrych yn ofalus ar y ferch a feichiogwyd ac ar y llanc a gyhuddwyd. 'A fyddai lle,' gofynnodd mewn syndod, 'yng nghefn cerbyd mor fychan i gyflawni'r weithred hon?' Aeth yn ei flaen, fel pe bai'n codi mwy o stêm. 'Mi glywais droeon am weithred o'r fath yng nghefn y Plaza,' meddai, 'ond nid yng nghefn Awstin 7.'

Clywyd sibrydion dadleugar drwy'r llys. Methodd Gordon-Roberts â dal a chyhuddodd y twrnai ifanc o wastraffu amser y llys ynglŷn â manylion dibwys. 'Yn wir,' meddai, 'chlywais i'r fath gybôl o ben cyfreithiwr erioed.' Gwelodd Rolant ei gyfle, cododd yn sydyn gan graffu ar y tri ynad, yna mewn llais uchel a'i Saesneg Cymreigaidd, dywedodd, *You all know who taught me!* Bu hynny'n rhybudd i Gordon-Roberts i wylio'i gyn-ddisgybl fyth wedyn.

Mae'n naturiol y cysylltid pob rhyw stori ddoniol a ddeilliai o achosion tadogi efo Rolant. Un o'r rheini yw'r stori honno am y ferch ffraeth a siŵr o'i phethau a gyhuddai un gŵr neilltuol o'i beichiogi. Yn yr achos hwnnw, yn ôl yr hanes, yr oedd Rolant yn amddiffyn y tad a gyhuddwyd. Roedd yn amlwg fod y ferch, ar ei chyfaddefiad ei hun, wedi cael perthynas â sawl un ar wahân i'r cyhuddedig ond bu iddi ddewis hwn fel tad i'w phlentyn am ei fod yn fwy cefnog o lawer na'r lleill. Roedd cymhariaeth y cyfreithiwr yn feiddgar, fel y byddent mewn achosion o dadogi. 'Bwriwch,' meddai'r amddiffynnwr, 'ichwi syrthio'n din-noeth i lwyn o ddail poethion, a fedrech chwi ddweud pa ddeilen a'ch pigodd?' Yn ôl atgofion y werin, enillodd yr amddiffynnwr yr achos.

Ond nid mewn dawn ymadrodd a ffraethineb yn unig yr oedd Rolant mor wahanol i bob cyfreithiwr arall. Fe fanteisiai ar bob tro trwstan a phob digwyddiad anghyffredin i sgriblo rhigymau ar dameidiau o bapur a'u hestyn i'r twrneiod eraill. Dyna lle byddent o gylch y bwrdd mawr yn pasio'r rhigymau doniol i'w gilydd. Gresyn na fuasai rhywun wedi casglu a chadw'r pillion diddorol hynny.

Ar ymweliad cyntaf y Barnwr Meurig Evans â Llys Sirol Môn fe aeth pethau o chwith braidd. Yn ystod y bore yr oedd David Lloyd Hughes, Clerc Cyngor Tref Caergybi i ymddangos ar ran yr achwynydd. Ond yn anffodus, yn hwyr y noson cynt y cyrhaeddodd y Clerc o'i wyliau ac felly ni wyddai ei fod i ymddangos yn y llys y bore wedyn. Er mwyn parhau yn awyrgylch y gwyliau gwisgodd David ei siwt olau o liw hufen gyda thei hynod o drawiadol. Cyn gynted ag y cyrhaeddodd Swyddfa'r Cyngor fe'i gorchmynnwyd i yrru am Langefni'n syth. Cyrhaeddodd â'i wynt yn ei ddwrn ac, yn ôl ei arfer, yr oedd am wynebu'r llys. Ond roedd pethau'n wahanol iawn y bore hwnnw, fe'i goleuwyd fod yno Farnwr newydd. Wrth roi'r bwndeli papurau i lawr, sylweddolodd David iddo adael ei urddwisg, y gŵn, y goler big a'r bib yn ei swyddfa yng Nghaergybi. Doedd dim modd cael y gwisgoedd hynny i Langefni mewn pryd ac felly, roedd yn rhaid meddwl am gynllun arall. Cafodd rhywun y syniad o gael benthyg urddwisg a choler yr hen frawd O. B. Edwards a oedd wrthi gyda'i achos y funud honno gerbron y Barnwr. Yna, y foment y deuai ef o'r llys gosodwyd ar un o'r twrneiod i'w ddadwisgo ac un arall i wisgo David Lloyd yn nillad yr hen ŵr. Yr oedd O.B. ymhell yn ei bedwar ugeiniau ac, yn ôl pob tebyg, yr oedd ei urddwisg a'i geriach eraill yr un mor oedrannus!

Agorwyd drws y llys ac yn y man daeth Edwards i'r golwg mor drwsgl ag erioed. Dechreuwyd arni i blicio'r wisg hynafol oddi amdano fel lladron Jericho gynt. Syllodd yr hen ŵr mewn braw wrth wylio'r ddrama ddryslyd o wisgo'r oen yng nghnu'r ddafad. Gwnaed ymdrech dda i wisgo clerc Cyngor Tref Caergybi yn weddus i Frawdlys trwy guddio'i wisg lachar. Daeth galwad o'r llys a mentrodd i mewn mewn gwisg fenthyg, un anghyfforddus ryfeddol. Yr oedd pigau'r goler yn llipa a phygddu ac roedd y gŵn, fel gwisg y Seraffiaid gynt, yn cuddio ei draed. Cerddai fel merch yn ei gwisg briodas gyda chamau mân, mân. Cyfarchodd y Barnwr yn y dull arferol, *'May it please your Worship, I appear on behalf of the Plaintiff — the Holyhead . . .'* Synhwyrodd fod rhywbeth o'i le ac aeth yn fud. Torrwyd ar y distawrwydd gan Glerc y Llys a fynnai fod ar yr ochr iawn i'r Barnwr newydd, ac meddai wrth glerc y Cyngor Tref mewn rhyfeddod, *'You are more suitably dressed for the Golf course than a Court of Law.'* Bu raid gohirio'r achos nes dod o hyd i wisg a weddai i'r llys. Tra bu'r ddrama ddoniol hon yn digwydd, yr oedd Rolant yn crynhoi'r cwbl mewn rhigwm:

> Fe ruthrodd Dafydd tua'r Llys,
> Heb grysbas wlanan a heb grys,
> Ac meddai'r Barnwr mawr ei bwn,
> 'Wel, Arglwydd mawr, o ble daeth hwn?'

Ni châi yr un achlysur o'r fath fynd heibio heb i Rolant roi'r digwyddiad mewn rhigwm cofiadwy.

Fel y soniwyd eisoes pan symudodd i fyw ym Mhorth Amlwch manteisiai amryw arno i setlo anghydfod rhyngddynt a'u cymdogion. Yr oedd Rolant mor hynod o hawdd mynd ato ac, er ei fod yn gyfreithiwr, mynnai fyw yn agos at y bobl a bod yn gymydog da. Daeth dwy wraig ato, yn eu tro, gan ofyn iddo anfon llythyr i'r naill a'r llall. Am na allai wneud hynny dros y ddwy ohonynt gofynnodd i un fynd â nodyn i gyfreithiwr arall. Ni fu Rolant yn hir yn sgrifennu'r neges, a dyma hi:

Dwy ŵydd dew
Ddim yn gall;
Plua di un,
Mi blua innau'r llall.

Ond roedd ochr arall i Rolant — dwyster a chydymdeimlad dwfn â'r difreintiedig ac anffodusion bywyd. Byddai ei erfyniadau dros ei gleientiaid yn cyffwrdd calon pawb ac yn tynnu deigryn i lygaid rhai yn y llys. Er mor effeithiol oedd ei ffraethineb a'i ddawn ryfeddol i ennyn chwerthin mewn ambell achos, eto i gyd, ar y tannau lleddf yr enillodd enwogrwydd fel twrnai. Ni fu erioed gyfreithiwr a weithiai mor ddeheuig ar achos nag ef; defnyddiai'r grymus a'r gwan, y gwir a'r gau, y dwys a'r digrif.

Gwnaeth gryn enw iddo'i hun yn amddiffyn un a gyhuddwyd o ladrata o Swyddfa Bost. Achos o ddiffyg ymddiriedaeth mewn gweithiwr ydoedd — achosion a gyfrifid yn eithaf difrifol. Erlynwyd ar ran y Postfeistr Cyffredinol gan gyfreithiwr o Landudno, gŵr o'r enw J. E. Hallmark. Er i'r gŵr a gyhuddwyd bledio'n euog yr oedd yn bwysig argyhoeddi'r fainc na ddylid ei anfon i garchar. Yr oedd Rolant ar ei orau y diwrnod hwnnw. Safai, yn ôl ei arfer, gyda darn o bapur yn ei law gan ei ddefnyddio'n fwy o wyntyll nag o gyfarwyddyd. Cyfarchodd y fainc yn dawel a than gryn deimlad. Roedd y cryndod yn ei lais yn troi'n grac. 'Gyda mesur mawr o ofid yr wyf yn sefyll o'ch blaen i eiriol ar ran y cyhuddedig,' meddai. Aeth yn ei flaen yn dawel ond yn hynod o dreiddgar: 'Fy unig gysur ar awr fel hon yw'r ffaith fod fy mhrofiad o'r fainc hon yn peri imi gredu yn ffyddiog y bydd i anffawd y cyhuddedig gael ei wrando gennych gyda'r ddynoliaeth lydan a'r trugaredd a nodweddai eich dyfarniadau yn y gorffennol. Nid dyma'r tro cyntaf i mi sefyll ger eich bron i amddiffyn un wedi syrthio ar y ffordd ac mi wn nad dyma'r tro cyntaf imi gael profiad o'ch caredigrwydd i un a droseddodd. Gwelais ddynion a merched o dro i dro ger eich bron, a chysgodion trwm o'u cwmpas a gwelais hwy yn mynd allan oddi yma i heulwen bywyd rhydd a gwasanaethgar, a phenderfyniad newydd yn eu calon i gyfiawnhau'r ymddiriedaeth a roddodd y fainc ynddynt. Yr wyf yn drist heddiw am fy mod yn adnabod fy nghleient ers blynyddoedd. Bu yng ngwasanaeth y Llythyrdy ers pedair blynedd ar ddeg ar hugain a bu iddo gymeriad ardderchog. Mae gennyf nifer o dystiolaethau gan bobl o gyfrifoldeb sy'n awchu am gael helpu'r dyn hwn yn awr ei angen. Rhai ohonynt yn weinidogion yr efengyl, cadeiryddion y Cyngor a fuont yn eu tro yn ynadon ac, yn wir, gan gyd-bostfeistr. Maent i gyd yn fawr eu cydymdeimlad ag ef. Yn wyneb hyn gwn ac fe ŵyr fy nghleient fod ganddo gyfrifoldeb mawr ond yn anffodus iawn nid yw ei iechyd ef na'i wraig wedi bod yn dda yn ddiweddar. Gwyddom bawb nad oes gan ddyn gwael o iechyd gyffelyb syniad am werthoedd moesol ag sydd gan ddyn holliach.

'Beth tybed a achosodd iddo gyflawni'r drosedd hon?' meddai'r amddiffynnwr, fel pe'n disgwyl ateb o rywle. 'Awgrymaf i chwi mai prinder moddion byw i gyfarfod â'i ofynion trymion, ac yn bennaf, i drin ei afiechyd. Rhaid fyddai iddo dalu costau uchel o'r ysbyty ac ni fynnai ei wraig er dim fynd i ddyled. I'r troseddau a gyflawnodd fy nghleient nid oes ond un diwedd ac mae'r diwedd yma heddiw.'

Aeth ymlaen â'i amddiffyniad gan gyfeirio at nodweddion rhagorol y cyhuddedig fel tad a phriod gofalus gan nodi ei fod o deulu parchus iawn. Daeth mwy o deimlad eto i'w lais a'r cryndod yn fwy amlwg fyth. 'Mae ei fam yn wael,' meddai, 'ac mae hi'n gweddïo'r bore yma fel y medr mam weddïo dros ei phlentyn a droseddodd. Gwn na bydd i chwi ar y fainc roddi ateb anffafriol i weddi'r fam.' Gwyddai Rolant yn dda am y defnydd a wnâi'r Parch. Llywelyn Lloyd o'i fam mewn pregeth a'r dylanwad a gâi hynny ar y bobl.

Symudodd o eiriolaeth y fam at droseddau'r mab. Mynnai eu dangos ar eu gwaethaf gan y gwyddai fod aelodau'r fainc yn dal i wrando gweddïau'r fam. Yn wir, aeth mor bell â galw arnynt i weinyddu llythyren y gyfraith ond, ar yr un pryd, brysiodd i'w hatgoffa fod rhai achosion lle y gelwid am ysbryd trugaredd mewn cyfiawnder. 'Yn yr achos hwn,' meddai, 'mae'r cyhuddedig wedi llawn amgyffred dyfnder y pwll y syrthiodd iddo, ac yn awyddus i'w adfer ei hun i barch ac ewyllys da ei gyd-ddynion. Er pan wysiwyd ef, y mae ei feddwl a'i galon wedi bod yn ingol ac ni bydd un gosb mor ofnadwy â dioddefiadau ei enaid yn ystod y pythefnos diwethaf.' Yna, cyfeiriodd at gyfeillion y cyhuddedig yn awyddus i roi gwaith a rhentu tŷ iddo. Daliodd ati i bledio tosturi: 'Yn yr awr dduaf hon yn ei fywyd, y mae o'ch blaen un yn erfyn am fara trugaredd a theimlaf yn sicr na bydd i chwi ei droi i ffwrdd gyda wermod siomedigaeth yn chwerwi ei galon. Os cymerwch gwrs trugarog yr wyf yn ffyddiog y bydd iddo'i adfer ei hunan eto ac ailadeiladu'r etifeddiaeth a gollodd, a hwyrach yn y dyfodol y byddwch yn dweud amdano — 'Yn ei awr dduaf ef profasom ni un o'n munudau mwyaf, pan benderfynasom ei helpu i adennill yr hyn a gollodd. Megis ag yr ordeiniwyd i ddynion a merched eu geni i'r byd i ymddwyn tuag at y naill a'r llall mewn ysbryd Cristnogol a thrugarog, a chynorthwyo ei gilydd ac, yn fwy na dim, eu brodyr gwannaf, i fywyd ardderchocaf a phurach.'

Wedi'r bregeth faith dan deimladau dwys, eisteddodd yn nhawelwch y llys. Mae'r anerchiad yn enghraifft dda o'r math o amddiffyniad a fyddai'n debygol o gyffwrdd calonnau aelodau'r fainc. Go brin y byddai geiriau teimladol o'r fath yn apelio at unrhyw fainc erbyn heddiw.

Dan ddylanwad yr apêl afaelgar ymneilltuodd aelodau'r fainc i benderfynu tynged y cyhuddedig. Pan ddaethant yn ôl, yr oedd llygaid pawb yn y llys ar Syr William Hughes-Hunter: 'Y mae arnom eisiau gwneud cyfiawnder heb fod yn greulon. Y mae'n ddrwg iawn gennym drosoch. Y mae'r rhain yn droseddau difrifol iawn a chwithau mewn swydd o gyfrifoldeb,' meddai. Er gollyngdod i bawb yn y llys, yn dystion a chyfreithwyr, cafodd ddirwy o ddwy bunt ar bob un o'r ddau achos ynghyd â chostau'r llys. Mae'r gosb yn brawf o ddylanwad Rolant fel amddiffynnwr, a dichon hefyd fod peth o dynerwch William Bwcle'r Brynddu yn Syr William. Wedi'r cwbl, yr oedd yn ddisgynnydd uniongyrchol ohono.

Daw yr un agwedd i'r amlwg mewn achos arall — achos o lofruddiaeth. Gweithiodd Rolant yn gwbl ddiarbed er osgoi'r gosb eithaf i lanc o Fôn. Bu'n llawer mwy na chyfreithiwr i'r cyhuddedig hwnnw. Gofalai'n dyner am rieni'r bachgen gan ymweld â hwy'n gyson yn eu profedigaeth a'u hunigrwydd. Yr oedd awyrgylch gwbl wahanol yn y swyddfa y dyddiau hynny, meddai Megan. Crwydrodd Rolant y sir i gasglu enwau ar ddeiseb er arbed y gosb eithaf. Fel y dynesai'r diwrnod terfynol, dwysaf yn y byd yr âi'r tensiwn yn swyddfa Rolant. Ond daeth ymwared. Bedair awr cyn yr awr benodedig daeth neges ffôn gan Aelod Seneddol Môn, Megan Lloyd George, i ddweud fod y dienyddiad wedi'i atal. Aeth Rolant yn syth at rieni'r bachgen i dorri'r newydd da iddynt. Ystyriai'r orchwyl honno yn gyflog da am ei waith.

Un o'i drysorau pennaf oedd y llythyr o ddiolch a dderbyniodd gan y carcharor ifanc hwnnw, llythyr a fynegai ei ddiolch a'i ddyled ddifesur i Rolant. 'Gwyddwn o'r dechrau,' meddai, 'y byddech chwi yn siŵr o lwyddo.'

Dyna enghraifft arall o'r modd yr ymgollai Rolant yn llwyr yn achos ei gleientiaid. Mae'n amlwg ddigon fod ei berthynas â'i gleient yn llawer dyfnach na'r berthynas arferol rhwng cyfreithiwr a throseddwr. Dyna, efallai, ei gryfder a'i wendid.

Daeth blynyddoedd y rhyfel ag achosion newydd a gwahanol i'r llysoedd. Bu cryn alw ar Rolant i amddiffyn gwrthwynebwyr cydwybodol. Yr oedd y rhain yn achosion pur amhoblogaidd yn ngolwg y cyhoedd bryd hynny ac o ganlyniad doedd cyfreithwyr ddim yn rhy barod i'w hamddiffyn. Ond — yn wahanol eto — byddai Rolant ar ei orau yn yr achosion hyn a bu'n gefn ac yn warchodwr i sawl heddychwr o Fôn yn y Tribiwnlysoedd. Yn ystod yr un cyfnod bu'n dadlau'n daer dros gael pensiwn i'r rhai a glwyfwyd yn y rhyfel. Byddai'r Swyddfa Ryfel yn ymorol fod ganddynt y bargyfreithwyr gorau i ddadlau eu hachos er mwyn cael arbed talu unrhyw bensiwn. Bu Rolant yn llwyddiannus mewn sawl un o'r achosion hyn. Yn 1940 cynrychiolodd ŵr ifanc o Ben-y-sarn ym Môn a oedd yn aelod o griw llong a fomiwyd ac a suddwyd yn Harbwr Dieppe ym Mai 1940. Fe saethwyd at y criw a'u hanafu tra oeddynt yn dianc o'r llong. Buont yn teithio am wythnos heb fwyd na gorffwys cyn cael llong arall i fynd adref. Bu'r gŵr clwyfedig o Ben-y-sarn gartref ym Môn am bedwar mis gan fod ei nerfau'n doredig. Dadleuai'r Weinyddiaeth i foiler y llong ffrwydro heb unrhyw ymyrraeth o'r tu allan, ac felly, ni chredent fod unrhyw gysylltiad rhwng anhwylder nerfol y gŵr o Fôn a'r gwrthdaro milwrol. Dadleuodd Rolant yn egnïol ar ran yr apeliwr gan haeru fod yr ymosodiad ar y criw y tu allan i beryglon cyffredin rhyfel. Yn hytrach, yr oedd yn weithred niweidiol, fwriadol i achosi anaf i'r apeliwr. Penderfynodd y Tribiwnlys o blaid y gŵr o Ben-y-sarn a chafodd y pensiwn dyledus.

Heb os, Rolant o Fôn oedd yr olaf o'r hen ysgol o gyfreithwyr. Yr oedd ynddo'r ddawn gynhenid a'r fath bersonoliaeth i droi unffurfiaeth anniddorol llys barn yn lle difyr a doniol ar brydiau. Yr oedd yn gyfuniad o'r bardd a'r cyfreithiwr, a'r naill a'r llall yn cystadlu â'i gilydd am lwyfan. Adnabu ei gyfaill Gwilym R. Tilsley y ddwy wedd hon ar ei bersonoliaeth:

> Ond o'r llys at fwynder llên — y deuai
> A dianc yn llawen
> O we'r ddeddf i froydd hen,
> A hwyl reiol yr awen.

Dyn ei Gymdeithas

Nid dyn swyddfa, stydi a steddfod yn unig oedd Rolant o Fôn. Byddai ganddo amser i'w deulu, i bobl ac i'w gymdeithas. Mae'n debyg i'r fagwraeth ar aelwyd grefyddol ac mewn ardal gymdogol feithrin ynddo'r cymwysterau hynny a'i gwnâi'n aelod gwerthfawr o'i gymdeithas. Rhwng ei waith, ei ddiddordebau a'i ymdeimlad o gyfrifoldeb i'w gymdeithas yr oedd ei fywyd yn llawn.

Pan symudodd i Amlwch yn 1941 cafodd gwmni a chyfeillion da mewn cylch llengar a oedd yno bryd hynny. Yr oedd John Alun Roberts yno yn weinidog gyda'r Wesleaid ac yn fwrlwm o ffraethineb mewn pulpud ac ar lwyfan a buan iawn y daeth Rolant ac yntau'n ffrindiau mawr. Yno hefyd yr oedd Thomas Arthur Jones, y cyfreithiwr a'r pregethwr. Yr oedd yntau'n gymeriad diddorol iawn ac un a groesodd gleddyfau â'r Methodistiaid. Cafodd Rolant gyfaill triw iawn yn Percy Ogwen Jones hefyd; yr oedd ynddo ddigon o rebel yn erbyn byd ac eglwys ac fe apeliai hynny at Rolant. Yr oedd mab gweinidog y Methodistiaid yn un o'r criw hefyd — Dafydd Cwyfan Hughes — un y bu ei dad drwy gydol ei oes yn eilun y pulpud ym Môn. Gohebydd papur newydd oedd John Thomas, yntau hefyd yn aelod brwd o'r seiat lengar.

Yn naturiol, cymdeithas y capeli oedd gryfaf yno ond

gresyn fod cymaint o gulni enwadol nes rhannu honno. Fe chwalwyd pob cymdeithas dros flynyddoedd y rhyfel ym Môn fel ym mhob man arall. Mae'n debyg mai dyma'r blynyddoedd y gwaniodd gafael Ymneilltuaeth ar y werin yng Nghymru. Ond er mor anodd oedd yr amgylchiadau bu Rolant yn megino'n ddygn i gadw'r syniad o ffurfio Cymdeithas ddiwylliannol Gymraeg yn fyw.

Yn wir bu raid aros hyd fis Medi 1948 cyn gosod sylfeini'r Gymdeithas newydd yn Amlwch. Ar 13 Medi y flwyddyn honno daeth chwech o'r cyfeillion llengar at ei gilydd yng Ngwesty Avondale. Dyma nhw'r chwech: Thomas Arthur Jones, Mona Lodge; Roland H. Jones (Rolant o Fôn), Glanfa, Porth Amlwch; Percy Ogwen Jones, Glan Eilian; R. D. Parry, Isallt; David Jones, Culfor, Pen-y-sarn a John Thomas *(Clorianydd)*, Arallt, Pen-y-sarn. Bu cryn drafod ac ychydig ddadlau hefyd ynghylch y priodoldeb o sefydlu Cymdeithas neu Gylch Trafod. Etholwyd Thomas Arthur Jones yn Llywydd y Gymdeithas a John Thomas yn Ysgrifennydd. Cytunai'r chwech fod gwir angen Cymdeithas a fyddai'n trafod gwahanol agweddau o'r bywyd Cymreig.

Penderfynodd y chwe gŵr doeth ffurfio Cymdeithas a chyfyngu'r aelodaeth i bump ar hugain gan gyfarfod bob yn ail nos Wener. Cytunwyd hefyd eu bod yn dewis pymtheg o'r aelodau y noson honno. 'Prydlondeb a ffyddlondeb' fyddai llw'r Gymdeithas. Pe collai aelod dri chyfarfod yn olynol heb reswm digonol fe'i diarddelid. Byddai raid i aelod newydd sicrhau saith deg pump y cant o bleidlais y Gymdeithas. Yr oedd tâl aelodaeth yn ddeg swllt y flwyddyn ac enw'r Gymdeithas oedd 'Y Ford Gron', a'r aelodau, yn naturiol, yn 'Farchogion'.

Prif bwrpas sefydlu'r Ford Gron oedd 'trafod gwahanol agweddau o'r bywyd Cymreig'. Bu'r Gymdeithas yn ffyddlon iawn i'w harwyddair trwy gydol y blynyddoedd. Bu cyfarfod cyntaf y Ford ar y cyntaf o fis Hydref 1948 yn y Tecell Copr. Cafwyd agoriad gafaelgar gan y Marchog Percy Ogwen ar y testun 'Addysg Gyfoes'. Rhoes y Marchog ddigon o awgrymiadau am drafodaeth bigog. Yna cafwyd anerchiad ar 'Broblem Lliw' gan y Parch John Alun y tro dilynol. Cyn diwedd y flwyddyn, cafwyd agoriad diddorol iawn ar 'Hapchwarae' gan y cyfreithiwr ifanc Dafydd Cwyfan Hughes. Yr oedd ganddo olwg eang ar destun a oedd yn drwm dan ordd y piwritaniaid. Rhoes Dafydd ddigon o achos i'r Marchogion chwyrnu ymhlith ei gilydd. Y mis Mawrth dilynol agorodd Rolant drafodaeth fuddiol ar 'Barddoniaeth Gyfoes'. Yn ôl cofnodion y Gymdeithas, treuliwyd awr ddifyr yn gwrando arno'n dosbarthu'r beirdd yn Rhigymwyr, Prydyddion, Prydyddfeirdd a'r Bardd. Yn ôl ei arfer, dyfynnai'r Prifardd yn helaeth o'r Beibl a gweithiau awduron hen a chyfoes. Dotiai'r Penadur Thomas Arthur at wyleidd-dra a gostyngeiddrwydd yr agorwr, ac yn arbennig at ei wreiddioldeb a'i ehofndra yn ei feirniadaeth a'i drafodaeth. I Percy Ogwen, fe ddaeth Rolant yn nes at y safonau na'r un llyfr a ddarllenodd erioed. 'Ffansi ac nid safon a geir gan lawer', meddai'r Marchog Percy.

Ond nid cymdeithas gartrefol ymhlith ei gilydd oedd y Ford Gron. O'r cychwyn cyntaf byddent yn croesawu cymdeithasau eraill tebyg i gystadlu neu i gyd-ddadlau â'i gilydd. Yn eu tro, cyfarfyddent efo Clwb Llenyddol Llangefni; Clwb y Pentra, Cemais; Cymdeithas y Pentan, Bethesda a Chymdeithas y Leinws, Llaneilian. Bu'r cyfnewid yma gartref ac oddi cartref yn fodd i'r Ford ehangu ei gorwelion ac i gylch cyfeillion y Marchogion ymestyn.

Ar 28 Ionawr, 1949 daeth Clwb Llên Llangefni i Amlwch i ddadlau gyda'r Marchogion 'fod Gwareiddiad y Gorllewin yn dadfeilio'. Cymerodd y Ford Gron yr ochr gadarnhaol gyda Hugh Rees Ellis a G. W. Kershaw yn agor a Percy Ogwen, John Alun a Rolant o Fôn yn cefnogi. Yr oedd safon y dadlau mor uchel fel y teimlwyd y dylid cyhoeddi rhai o'r dadleuon dan y teitl 'Sgyrsiau'r Ford Gron' ond, gwaetha'r modd, ni ddaeth dim o'r peth!

Yn ystod misoedd yr haf fe drefnid tripiau i leoedd o ddiddordeb. Ar un o'r tripiau hynny, heb yn wybod ar y pryd, yr aeth Rolant i Eisteddfod Dolgellau i'w gadeirio am yr ail waith yn yr Eisteddfod Genedlaethol. Trefnwyd tripiau difyr a chofiadwy o gylch yr Ynys gydag un o'r Marchogion yn troi'n gwrier. Rhoddai hyn gyfle gwych i un fel Rolant arddangos ei ddawn a'i wreiddioldeb.

Ond, yn naturiol, dathlu Gŵyl Ddewi oedd yr uchafbwynt ym mlwyddyn y Ford Gron. Fe ddethlid yr Ŵyl hon gyda llawer iawn o rwysg a phomp gan bob Cymdeithas Gymreig yn y dyddiau hynny. Byddai pawb am y gorau yn ceisio'r gŵr gwadd amlycaf ar lwyfan y genedl. Yng Ngwesty'r Sefton, Amlwch y bu dathliad cyntaf y Ford Gron, a hynny ar Fawrth y cyntaf 1949, gyda lle i gant ac ugain eistedd yn reit gyfforddus am bris o goron y pen. Cyfarwyddwr Addysg y Sir, E. O. Humphreys, a gafodd yr anrhydedd o fod yn ŵr gwadd.

Ond er bod bywyd yn llawn ac yn llawen i Rolant yn Amlwch fe symudodd yn ôl i Langefni ar ddiwedd y pumdegau gan ddechrau twrneio ar ei liwt ei hun. Teimlwyd yn fawr o'i golli yn Amlwch fel cyfreithiwr ac yn y gymdeithas yn gyffredinol. Daeth â chryn anrhydedd ac enw i dref Amlwch ac fe'i gwerthfawrogid yn fawr gan y trigolion o'r herwydd. Aeth yn ei ôl i Langefni wedi deng mlynedd o loywi ei awen fel bardd, ei ddawn fel cyfreithiwr a'i gymeriad hefyd. Cartrefodd mewn swyddfa ar yr ail lawr uwch ben siop Fferyllydd R. R. Jones ar y Stryd Fawr.

Ni fu fawr o dro'n synhwyro fod bywyd cymdeithasol a diwylliannol y dref yn bur llugoer a gwan. Synnai nad oedd yno unrhyw ddathliad Gŵyl Ddewi gan unrhyw Gymdeithas. Mae'n debyg mai'r ffaith drist honno a'i sbardunodd i ddechrau mwstro ac addunedu na fyddai dydd Gŵyl Ddewi eto yn Llangefni heb ddathliad teilwng. Cartrefodd ef a'r teulu ym Mron y Felin ar gwr y dref a chafodd ddau gymydog delfrydol yn T. D. Roberts a William John Jones y Plastrwr. Buan iawn yr ymdaflodd y triawd diwylliedig i weithgarwch yn y dref, ac yn wir, cyn diwedd 1951 fe sefydlwyd Clwb Gwerin Cefni. Mae'n debyg nad oedd Rolant yn rhy hapus â'r syniad o Farchogion am fod i'r gair sawr braidd yn uchel-ael a theimlai hefyd fod y drws braidd yn gyfyng. Roedd y syniad o Glwb Gwerin yn fwy cydnaws â'i gymeriad rywfodd. Ef oedd y llywydd cyntaf, gyda Johnnie Roberts y Cyfrifydd yn ysgrifennydd a Morris Pritchard Jones o Fanc Lloyd yn drysorydd. Mae'n debyg mai yng Ngwesty'r Tarw ar Sgwâr y dref y cychwynnodd y Clwb Gwerin ac yno y cafwyd y cinio 'Dolig yn 1951. Ond fu'r arhosiad yno ddim yn hir cyn symud i gaffi enwog Penlan.

Yr oedd mwy o amrywiaeth yn aelodau'r Clwb Gwerin na'r Ford Gron gyda chroesdoriad diddorol o alwedigaethau ymhlith yr aelodau: llawer iawn o grefftwyr, yn seiri, plastrwyr, adeiladwyr, ffermwyr, siopwyr, rhai athrawon a chyfreithwyr. Ond er yr holl amrywiaeth mewn galluoedd a diddordebau yr oedd pob aelod ar yr un gwastad â'i gilydd. Os oedd arwyddair o gwbl i'r Gwerinwyr, 'Pawb ar yr un gwastad' oedd hwnnw. Eu pwyslais pennaf oedd 'gweriniaeth naturiol'. Meithrinwyd awyrgylch rydd a chartrefol yn y Clwb yn debyg iawn i weithdy'r saer neu efail y gof. Yr oedd hon yn Gymdeithas hynod o gyfeillgar gyda'r awyrgylch yn gwbl gartrefol. Gyda'r genhinen yn fathodyn prif amcan y Clwb Gwerin oedd hyrwyddo'r iaith Gymraeg a diwylliant y genedl. Mae'n amlwg fod mwy o ddylanwad Rolant ar y Gymdeithas hon nag ar y Ford Gron yn Amlwch. Yr oedd ei law yn gadarn ar y llyw, ac eto ni fu erioed lywydd a oedd mor agos at yr aelodau ag ef. Yr oedd tair amod ymarferol i'r aelodau, sef Presenoldeb, Prydlondeb a Pharodrwydd. Yr oedd llawer o weithgareddau'r Gwerinwyr yn gymdeithasol. Casglent arian yn ystod y flwyddyn er mwyn anrhegu cleifion dau o ysbytai'r dref ar y Nadolig — Y Druid a'r Cefni.

Fel y dywedwyd, dathlwyd Gŵyl Ddewi am y tro cyntaf yng Ngwesty'r Tarw. Ni fu neb hapusach na Rolant o weld y dathlu hwnnw. Ei gyfaill Bob Owen Croesor oedd y gŵr gwadd. Y mae rhestr y gwŷr gwadd yn y blynyddoedd cynnar yn hynod o ddiddorol: Cledwyn Hughes (fel yr oedd bryd hynny), Cynan, Ifor Bowen Griffith, Bedwyr Lewis Jones a Derec Llwyd Morgan.

Yn 1953, yn neuadd y dref, cynhaliwyd yr eisteddfod gyntaf dan nawdd y Clwb Gwerin. Bu hon yn eisteddfod hynod o boblogaidd a bu'n gyfrwng i ddod â'r Clwb i amlygrwydd drwy'r sir. Yr oedd yr aelodau i gyd yn gefnogol iawn i'r eisteddfod a bu iddynt gyfrannu cymaint â deugain punt yr un tuag ati. Roedd deugain punt yn gryn swm ar ddechrau'r pumdegau. Enillwyd y gadair y flwyddyn honno gan Percy Hughes. Erbyn y flwyddyn ddilynol, 1954, mentrodd y Gwerinwyr gynnal cymanfa ganu ar y nos Sul yn dilyn yr eisteddfod. Bu hon eto yn eisteddfod lwyddiannus ac enillwyd y gadair gan fardd ifanc addawol iawn o Langefni, Glyndwr Thomas. Fe gyflwynodd Rolant un awgrym diddorol iawn yn rhaglen yr eisteddfod:

> 'Awgrymaf i Gyngor yr Eisteddfod Genedlaethol, yr awdurdodau lleol a'r Weinyddiaeth Addysg roi eu pennau at ei gilydd i geisio sefydlu academi genedlaethol i hyfforddi talentau addawol yn y celfyddydau.'

Bu'r gymanfa ganu ar y nos Sul yn llwyddiant ac, yn wahanol i'r drefn arferol, fe'i cynhaliwyd yn neuadd y dref a bu hynny yn dynfa i rai na fynychai'r capel. Yr oedd Johnnie Jones y paentiwr yn adnabod cantorion y sir yn dda ac ef a ddidolai'r lleisiau. Mathew Williams oedd yr arweinydd ac roedd yn lletya yn Llwyn Ednyfed gyda T.D. dros y Sul. Holodd ei letywr am y Clwb Gwerin er mwyn iddo gael rhywbeth cellweirus i'w ddweud yn y gymanfa. 'Wel,' meddai T.D., 'a dweud y gwir, "Mau Mau" maen nhw'n ein galw ni'r Gwerinwyr.' Yn ystod y gymanfa, er mwyn codi tipyn o hwyl, dywedodd yr arweinydd, 'Wel, canwch. Rydach chi fel y "Mau Mau" yn trio canu.' Syrthiodd y geiniog ac roedd y gynulleidfa wrth ei bodd. Wrth ddiolch ar y diwedd, cyfeiriodd Rolant at sylw Mathew Williams. 'Roedd yr arweinydd yn ein galw ni'n Mau Mau,' meddai. 'Wel, mae hynny'n well na Ho Ho!'

Ar wahân i'r gweithgareddau cyhoeddus hyn, bu'r Clwb Gwerin yn feithrinfa dda i feirdd, llenorion ac areithwyr. Fe bwysleisiodd Rolant o'r dechrau y dylai'r Clwb roi cyfle i bob aelod feithrin ei ddoniau, yn arbennig y ddawn i siarad yn gyhoeddus. Byddai'r gwahanol aelodau yn eu tro yn cynnal nosweithiau amrywiaethol i'r Clwb. Yr oed ganddynt ddigon o ddoniau ymhlith yr aelodau i gynnal y cyfarfodydd hyn. Weithiau rhoddai Rolant dasgau a thestunau ar eu cyfer a hwythau fel timau yn dadlau o blaid ac yn erbyn. Dro arall, rhoddai dasgau barddonol iddynt a chaent gryn hwyl yn cloriannu'r ymdrechion. Tystia rhai o'r aelodau nad oedd well ysgol i'w chael. Er eu bod i gyd yn gydradd, bu yno o bryd i'w gilydd ambell aelod pur nodedig fel T. G. Walker yn dysgu'r cynganeddion i'r aelodau a'r Athro Bobi Jones yn rhoi tasgau llenyddol iddynt gan roi sylw personol i bob aelod.

Teimlai Rolant i'r Clwb Gwerin wireddu ei freuddwyd a chydnebydd y Gwerinwyr hyd heddiw mai ef fu sylfaenydd y Clwb Gwerin.

Rhyw fywyd digon nomadig a gafodd y Gwerinwyr. O Westy'r Tarw i Gaffi Penlan a'r 'Anglesey', cyn symud eto i'r hen weithdy y tu ôl i Gapel Penuel ar ffordd Glan Dŵr. Bu un symudiad arall i Goleg Pencraig ar gwr y dref. Rwy'n siŵr y byddai Rolant yn falch o feddwl fod y Gwerinwyr wedi cyrraedd athrofa'r dref!

67

Bu gweithgareddau'r Clwb Gwerin yn ddarpariaeth dda i'r aelodau ar gyfer rhaglenni fel 'Pawb yn ei Dro' ac 'Ymryson y Beirdd', dwy raglen radio boblogaidd iawn yn y pump a'r chwedegau. Mae'n wir dweud fod Rolant o Fôn wedi gwneud mwy na neb i fraenaru'r tir ar gyfer rhaglenni o'r natur yma. Cofiwn ei anerchiad yng 'Nghegin y Beirdd':

'Oni ddylai cefndir rhaglen Gymraeg fod yn un Cymreig? Credaf hefyd fod yng Nghymru ddigonedd o dalentau i gynnal rhaglenni gwirioneddol Gymraeg. Deallaf fod yr awdurdodau yn edrych ar y talentau hyn fel amaturiaid. Os felly, y maent yn tra rhagori ar y sêr proffesiynol sydd fyth a beunydd yn brefu a baldorddi ar ein clustiau.'

Rolant oedd Capten tîm Ymryson y Beirdd Môn o'r cychwyn, ac ni fu erioed ei well. Fel y dywedodd Huw Llewelyn Williams ar ddydd ei angladd, 'Collwyd y Capten a fydd y criw byth eto yr un fath'. Yn y cyfnod cynnar yr oedd E. O. Jones a Myfyr Môn yn aelodau o'r tîm — dau englynwr penigamp. Byddai cryn ffwdan pan ddôi E.O. at y meic gan fod ei glyw mor drwm. Gwasgai y gragen sain at ei glust a hawliai dawelwch perffaith. Fe âi'n ddigon cyfyng ar y beirdd weithiau, fel y tro hwnnw pan gafodd Hyfreithon ei hun ar ei gythlwng am gynghanedd, ac meddai, 'Burum a blawd yw bara.'

Bu cystadleuaeth wirioneddol dda yn Eisteddfod Caerdydd 1960 rhwng timau Môn, Arfon ac Aberteifi. Gan dîm Môn yn yr Ymryson hwnnw y cawsom yr englyn i Aneurin Bevan, gem y gystadleuaeth yn siŵr.

Holl fawredd y llafurwr — oedd i Nye,
Gwedd a nwyd ymladdwr;
Tarian oedd i'r truan ŵr,
Dewin gwerin, dyngarwr.

Byddai'r tîm yn gweithio ar y cyd am ryw hanner awr cyn y gystadleuaeth. Rhoddai Rolant ystyriaeth garedig i gynigion pob aelod. Mewn un gystadleuaeth taflodd

Meuryn hen genawes o linell i gael cymar iddi, sef 'Heb dynnu byd yn ei ben.' Atebodd Rolant:

> Ni fagodd neb genfigen
> Heb dynnu byd yn ei ben.

Byddai'r rhaglenni hyn o bryd i'w gilydd yn dal sylw'r wasg Saesneg gan mor boblogaidd oeddynt. Fel hyn yr ysgrifennodd Gwilym Roberts yn y *Daily Post* yn ei Arolwg ar Radio Gymraeg, wedi cystadleuaeth Pawb yn ei Dro rhwng tîm Bangor a thîm Clwb Gwerin Llangefni: *'This contest was first rate stuff, Rowland's line from the letters of the word "Llangefni" was a brilliant effort.'* Dyma'r frawddeg: 'Llawer Anwar Negro Gafodd Efengyl Fydd Nerth Iddo.'

Yn yr ornest honno cafwyd tribannau prydferth Rolant i 'Haf Bach Mihangel'. Tîm Llangefni a orfu o ddau farc. Cydnebydd Gwilym Roberts wrth gloi ei Arolwg: *'Only Wales could put on a programme such as this'.*

Gyda'i graffter arferol, gwelodd Sam Jones (BBC) yn Rolant o Fôn y ddawn ddelfrydol ar gyfer y math o raglenni yr oedd ef yn eu darlledu. Roedd ffraethineb naturiol Rolant yn ychwanegu at boblogrwydd y rhaglenni hyn. Dyma'r math o negeseuon y byddai Sam yn eu hanfon ato: 'Rwyf yn eich disgwyl i Neuadd y Penrhyn nos Wener nesaf erbyn saith o'r gloch. Gair o rybudd, mae gan Sir Feirionnydd dîm da iawn, look out. Sam Jones.

Dyma eto delegram Saesneg ar frys gan Sam yn gwahodd Rolant i gymryd rhan yn Ymryson y Beirdd:

Place — Penrhyn Hall — 30:1:48
Time — 8.00-8.30p.m.
Rehearsal: 7.00p.m.
Fee — £3.3.0. Inclusive of all expenses!

Yn anffodus bu farw Rolant yn 1962 pan oedd gymaint o gyfleusterau yn ymagor i'w ddoniau ef ar y cyfryngau. Gresyn na chafodd fwy o gyfle i rannu o'i ddawn a'i brofiad ar raglenni adloniant y radio. Dichon fod peth o'r bai arno ef ei hun — yr oedd mor ddiymhongar — ac mae'n debyg fod byd y cyfryngau yn llawer iawn rhy gystadleuol ganddo.

Er mor brysur oedd Rolant yn ei gymdeithas y tu allan i oriau gwaith yr oedd ganddo hefyd le i oedfa o addoli ar ei raglen. Fe'i magwyd ar aelwyd grefyddol Rhosgofer a fu yn gefn i achos y Bedyddwyr ym Mhisgah, ac roedd ei ewythr, Cefni Jones, yn weinidog amlwg gyda'r enwad hwnnw. Eto, rhywfodd, ni châi Rolant hi'n hawdd i gofleidio'r ffydd uniongred. Yr oedd yntau fel ei ddau arwr o feirdd, T. H. Parry-Williams ac R. Williams Parry, yn canfod Duw mewn Natur. Yr oedd diwydiant yn lladd pob prydferthwch ac yn mathru'r cysegredig dan draed yn ôl R. Williams Parry. Ar y Lôn Goed y câi'r 'llonydd gorffenedig'. Yr oedd Nant y Pandy yn tra rhagori ar bob cysegr o waith llaw yng ngolwg Rolant hefyd. Iddo ef, yno yr oedd naws y peth byw — 'y llonydd gorffenedig' — yng nghân yr adar ac aroglau'r blodau gwyllt.

Fel y gallesid disgwyl, doedd ganddo ddim i'w ddweud wrth unrhyw gyfundrefn grefyddol, ond bu'n fwy selog i'w gapel nag yr honnai rhai. Mae hanes amdano yn dod o oedfa cyn cyfranogi o'r Cymundeb am y teimlai'n annheilwng. Iddo ef, yr oedd y Ffordd Gristnogol yn anhraethol fwy na chadw defodau a chredoau neilltuol. Cyfeiria Glyndwr Thomas ato fel 'Gwladwr a rhamantydd Cristnogol yn cael ei ysbrydoliaeth o fyd natur yn bennaf. Ond yn awdl "Y Graig" y mae'r elfen o ddiymadferthedd dyn yn amlycach, bron na ellid dweud Calfiniaeth heb yr achub.'

Mae'n debyg y teimlai Rolant yn fwy cartrefol mewn oedfa Ysgol Sul nag mewn unrhyw oedfa arall. Yr oedd ei wybodaeth o'r Beibl a'i barch tuag ato yn fawr iawn. Gofynnodd y Prifardd Selwyn Griffith iddo beth a ddylai ei ddarllen fel bardd ifanc i feithrin yr Awen. Atebodd Rolant yn gwbl ddibetrus, 'Dy Feibl, 'ngwas i'. Ymgollai mewn ambell bennod o'r Beibl ac yn arbennig felly

pennod olaf Efengyl Luc. Ystyriai hon yn llenyddiaeth
fawr iawn.

Rhyw anghysonderau a rhagrith a'i blinai mewn
crefydd gyfundrefnol ac ni fu'n ôl o'i chondemnio, ar gân
weithiau:

> Mae pobol dda yr Arglwydd
> Yn drwm ar ddyn fel fi
> Sy'n hoffi gamblo tipyn bach
> Ac ambell bwl o sbri;
> Pechadur wyf o'm pen i'm traed,
> A phlant yr Arglwydd am fy ngwaed.

> Ond nid yw plant yr Arglwydd
> I'w gweld yn malio fawr
> Am yrru meddwyn dros y drws
> A'r cybydd i'r Sêt Fawr;
> A godinebwyr mwya'r fro
> I'r Cwrdd dirwestol yn rhoi tro.

> Ryw ddydd caf fyned adref
> I dŷ fy nhad a'i hedd,
> Ac yfed iechyd da fy Iôr
> Wrth hyfryd fwrdd Ei wledd;
> A gwrando Duw yn dweud y drefn
> Wrth hel y lleill i'r gegin gefn.

Ond fe adnabu Rolant fod i wir grefydd rywbeth llawer
iawn dyfnach. Yng ngeiriau Tilsley:

> 'Gwyddai ef am gynefin — hwnt i'r poen
> Mewn tir pell a chyfrin . . .'

Ni fu erioed yn ôl o ddangos ei liwiau gwleidyddol er
i'r lliwiau hynny newid peth dros y blynyddoedd. Yr oedd
yn sosialydd wrth reddf ac arhosodd felly trwy gydol ei
oes. Bu peth amheuaeth ynddo pa blaid wleidyddol a rôi'r
mynegiant gorau i'w ddaliadau. Mae dau englyn o'i eiddo
yn brawf nad oedd ganddo lawer o feddwl o'r Blaid
Dorïaidd na'i phobl:

Macmillan

Diysgytiad Ysgotyn — yw erioed,
A chreadur cyndyn;
I'n gwlad hawddgar dyma'r dyn
A ddewisodd ddau asyn.

Ac eto i Henry Brooke

Daeth Macmillan o annwn — i haul byd,
A phwdl bach yn fyrdwn;
A'r heniaith wâr a garwn,
Awchu'i gwaed wna'r cachgi hwn.

Go brin fod gwaed y Rhyddfrydwyr yn ddigon coch gan Rolant a dyna pam y bu'n aelod digon teyrngar o'r Blaid Lafur am flynyddoedd, er mai ei gyfeillgarwch â Chledwyn Hughes a'i cadwodd yn y blaid honno cyhyd. Yr oedd yn gaffaeliad mawr i unrhyw blaid ar gyfrif ei boblogrwydd a'i ddawn neilltuol yn y cyfarfodydd cyhoeddus a oedd mewn cymaint bri bryd hynny. Mae'n amlwg y câi ei dynnu rhwng y Blaid Lafur a'r Blaid Genedlaethol. Ef oedd ysgrifennydd cyntaf Plaid Cymru ym Môn. Bu Gwilym R. Jones o swyddfa'r Herald ac yntau wrthi'n ddyfal yn ceisio ffurfio cangen o'r Blaid ym Môn yn Ionawr 1931.

Ond siglwyd ffydd Rolant yn y Cenedlaetholwyr ac, yn ôl ei gyfaddefiad ei hun, yr oedd ynddynt ddiffyg asgwrn cefn cenedlaethol am ganiatáu i Achos Penyberth fynd i'r Old Bailey. Ni theimlai ychwaith bryd hynny fod gan y Blaid Genedlaethol ddigon o rym i newid cymdeithas ac, yn ogystal â bod yn gyfeillgar â Chledwyn Hughes, yr oedd hefyd yn bur agos at Gymry da eraill yn y Blaid Lafur, dynion fel Elwyn Jones, Bangor; Goronwy O. Roberts, Huw Morris Jones a Huw T. Edwards.

Yr oedd Huw T. yn gadeirydd y Cyngor i Gymru a ffurfiwyd gan y Blaid Lafur. Bu hyn yn symbyliad i Rolant aros efo'r Llafurwyr. Bu'n ymgyrchu'n frwd dros Cledwyn Hughes yn etholiad 1950 ond, er i Lafur ennill ym Môn y flwyddyn honno, a hynny yn groes i'r llif gwrth-Lafur drwy'r wlad, doedd Rolant ddim yn gwbl hapus. Yn ystod ei ymgyrch yn Amlwch fe alwodd Cledwyn Hughes heibio iddo ef a Jennie am baned ar derfyn y pnawn. Cyrhaeddodd Morfudd i'r tŷ yn llawn o ysbryd a miri'r etholiad gyda bathodyn mawr melyn a oedd yn brawf digonol mai gydag ymgyrch y Rhyddfrydwyr y bu hi. A pham lai gan fod ganddynt fathodyn mor grand! Synhwyrodd ei mam y peryglon a chaniataodd iddi fynd yn ôl eto i chwarae gan roi iddi swllt gwyn yn y fargen. Yr oedd y peth yn ddryswch pur i Morfudd ond doedd wiw i'r ymgeisydd Llafur weld fod yna fradwres fach yn nhŷ ei ffrindiau!

Ond, fel yr awgrymwyd, yn nyfnder ei enaid teimlai Rolant ei fod yn gwadu ei genedl ei hun a'i fod yn alltud llwyr ym Mabilon plaid Seisnig. Yn y cyfnod hwn (1950/1) o lywodraeth Lafur y cydnabu Huw T. Edwards nad oedd unman yn y byd lle'r oedd ieithoedd a diwylliannau lleiafrifoedd yn cael eu mwrdro fel y caent ym Mhrydain. Gadawodd y Blaid Lafur ac ymuno â Phlaid Cymru. Credai Rolant hefyd y dylai Cymru gael yr hawl i'w llywodraethu ei hun. Synhwyrodd mai gelyn pennaf y Blaid oedd anwybodaeth a rhagfarn a phwysai am gael rali flynyddol ym mhob sir yng Nghymru. Daeth yntau yn ei ôl i gorlan y Cenedlaetholwyr yn frwdfrydig ac yn llawn tân. Yn ôl Gwilym Tilsley, yr oedd trueni Cymru yn boen ac yn bryder iddo. Nid rhyfedd felly iddo ymgyrchu'n ddyfal dros y Blaid ym mlynyddoedd olaf ei fywyd. Yr oedd yn siaradwr ffraeth a thanllyd a gwyddai i'r dim sut i godi hwyl mewn cynulleidfa. Byddai'n cloi pob araith wleidyddol gyda'r englyn hwn o waith Thomas Williams (Brynfab):

O, wlad fach, cofleidiaf hi, — angoraf
    Long fy nghariad wrthi;
    Boed i foroedd byd ferwi,
    Nefoedd o'i mewn fydd i mi.

Yn ôl Tilsley eto: 'Er mor wych yw awdl "Y Graig",
cyrhaeddodd Rolant benllanw ei awen yn ei gerdd fawr
"Cymru".'

Yn anorfod, yr oedd bywyd mor llawn a phrysur yn
dreth drom arno ond fe lwyddai'n rhyfeddol i ymlacio,
yn enwedig yng nghwmni ei deulu ar aelwyd Hafod y
Grug. Byddai yn ei afiaith gyda'i deulu — Jennie ei briod,
Morfudd a Gwawr y ddwy ferch a Gwyn bach, chwedl
yntau. Bu'r teulu'n gwmni, yn gysur ac yn gysgod
rhagorol iddo.

Yr oedd cyfoedion a chyfeillion yn foddion cysur a
mwynhad iddo hefyd. Ni fu gan neb y fath amrywiaeth
o gyfeillion. Câi ginio weithiau gyda Jac Beti, hen yrrwr
gwartheg anllythrennog o Langefni. Talodd Rolant am
sawl pryd o fwyd iddo a châi fodd i fyw yn gwrando arno
yn canmol ei fam ac yn melltithio ambell ffermwr
diegwyddor. Un arall o gymeriadau hynod y dref oedd
William Evans, neu Wil Buff, fel yr adwaenid ef gan
bawb. 'Sgubwr stryd oedd Wil wrth ei alwedigaeth ac fe
wnâi hynny gyda graen a balchder. Yr oedd Wil a Rolant
yn llawiau mawr ac ni chollent yr un bore heb gael sgwrs
i roi'r byd yn ei le. Byddai'r 'sgubwr yn ymorol ei fod
ar lwybr y twrnai bob bore'n ddi-ffael. Fe anrhydeddwyd
Wil â'r enw barddol 'Brwshfab' gan Rolant ac ni fu'r un
bardd erioed yn falchach o'i enw na Wil. Pwy ond Rolant
a fynnai roi anfarwoldeb i 'sgubwr stryd a gwneud hynny
mor ddoniol a didramgwydd?

Ar farwolaeth ddisymwth William Evans fe
ysgrifennodd Rolant lythyr o deyrnged iddo, rhyw fath
o sgwrs â'r ymadawedig:

'Annwyl Wil,

   Y tro olaf y cawsom sgwrs â'n gilydd yn Isgraig, rhyw dair
wythnos yn ôl, addewais anfon gair atat drwy'r papur
newydd. Mae'n debyg mai rhigwm oedd yn dy feddwl, ond
ofnaf fod canu ymhell o'm calon ar hyn o bryd.

   'Felly dyma fi yn gyrru llythyr atat i'th longyfarch ar dy

ddyrchafiad i fyd a bywyd gwell. Ni chefaist fawr o anrhydeddau'r byd hwn. Fel rheol nid yw pobl dda yn cyfrif rhyw lawer ar ein planed ni. Ond rwy'n siŵr iti gael derbyniad tywysogaidd i'th gylch newydd, a bod hen deulu Llangefni yno'n llu i dy groesawu.

'Cefaist ti a minnau filoedd o hwyl gyda'n gilydd yn y rasus beics, y cylch bocsio a'r llwyfannau cystadlu. A beth am y difyrrwch a roddaist inni yn y Carnifal o dro i dro, a phwy a fedrai flaenu'r band yn ddoniolach na thi? Yr oedd dy enaid ym mhob peth a wnest. Canet nes y byddai'r chwys yn ager o'th wallt, a gwyddai bro am gampau Eos y Felin.

'Yr oedd pawb o bwys ym Môn ac Arfon yn dy adnabod a hysbys dy ffordd i bobloedd lawer. Caret dy hen dref yn angerddol a chedwaist ei heolydd yn dwt a glân am lawer blwyddyn. Treuliaist lawer awr ar ffordd yr Eglwys yn ysgubo dan draed y saint. Dyna dy ffordd di o daenu dy garped coch ger bron y Brenin Mawr. Pe baet ti ar gael brynhawn dy angladd (a hwyrach dy fod yn agosach atom nag erioed) gwn y cawsit dy blesio. Yr oedd yr hen hogiau yno yn fataliwn i dalu teyrnged iti. Yr oedd yr Eglwys yn llawn, a'r canu'n fendigedig. Safai'r tlawd a'r cefnog ysgwydd yn ysgwydd i lawenhau ein bod ni yno i ganu:

'Ceir esgyn o'r dyrys anialwch
I'r nefol baradwys i fyw.'

'Ni chlywaist ti erioed well gwasanaeth a gwyddem oll dy fod yn ei lawn haeddu. Bydd mwy o dristwch amdanat ym Môn nag am Farwn nac Arglwydd.

'Pwy yn arbennig oedd yno meddet ti? Wel yr oedd dy ffrind a'th bryfociwr o'r Clai yno, cyn drymed ei hiraeth â neb ohonom — (J. Forcer-Evans, Cyfreithiwr), John Clorianydd, William Hugh, Meredydd a Paddy Bach, hogiau'r Cyngor Sir a'r Cyngor Tref yn canu eu calonnau mewn diolch am dy debyg. Yn wir, Cyfarfod y Pererinion oedd hwn, a theimlaf yn llawen fod iti gymaint parch yn ein plith.

'Dyma'r Nadolig wrth y drws yn ei farrug a'i rew. Nid oes angen dymuno Gŵyl hapus a Blwyddyn Newydd Dda i ti. Nid yw'r calendr yn golygu dim iti bellach. Bysedd Duw ydi bysedd dy gloc erbyn hyn a llaw Duw yw pabell dy lawenydd.

'Cofion cynnes atat ar dy aelwyd fry. Nid oes yma ddim newydd ond fod bleinds ffenestri Llangefni i gyd i lawr.

Yn gu,

Rolant.'

Y fath dynerwch at un o'r brodyr lleiaf y rhoes Rolant o Fôn ei oes i'w hamddiffyn rhag cyfraith ddigon didostur.

Byddai ganddo amser i'w gyfeillion llengar hefyd. Deil Selwyn Griffith i gofio'r tripiau difyr yn y car efo Rolant a William John y Plastrwr. Fe anfarwolwyd sawl llecyn ym Môn ar y tripiau cofiadwy hynny. Arferai fynd yn flynyddol gyda John Thomas *(Y Clorianydd)* i ddwy fynwent dra enwog yn Arfon, sef Coetmor, Bethesda a Llanddeiniolen. Yng Nghoetmor y claddwyd ei arwrfardd Robert Williams Parry. Yna, ar eu ffordd adref, loetran wrth fedd W. J. Gruffydd yn Llanddeiniolen ac aros am ychydig yn Y Gors Bach cyn mynd yn ôl i Fôn. Byddai seiadau Coetmor yn rhai o funudau dethol a phrin bywyd, yn ôl John Thomas. Safai Rolant wrth y bedd yn adrodd yn uchel waith y bardd. Fe deimlai John rhyw ias ddieithr yn cerdded drosto wrth wrando'r llais cyfarwydd, crynedig yn rhoi bywyd i un oedd yn farw. Yno, yn siŵr, yn nhŷ John Thomas, y cyfansoddodd ei gadwyn englynion i Fardd yr Haf:

Yn y llawr cuddiwyd mawredd, ac i'r wadd
  Rhoed y gruddiau glanwedd;
Hun athro dan ysgythredd
A'r Awen bur yn y bedd.

Y bedd ar wyneb addwyn; bedd yw rhan
  Bardd yr Haf a'r glaslwyn;
Trist yw'r llwynog ar glogwyn,
A lleddf yw ffesant y llwyn.

76

I lwyn noeth neu lain eithin mynydd hoff
Mwy ni ddaw y dewin;
Ffoes o goleg a chegin
Ddwyfol gerdd oedd fel y gwin.

Gwin hen y gân yn ei gôl a daniai
Nwyd ei enaid breiniol;
Ef oedd telor rhagorol
Gwerin deg ar waun a dôl.

I'r ddôl lle llosgai'r ddeilen, a'r afon
Lle rhwyfai'r hwyaden,
Heibio'r peilon a'r donnen
Y trôi llyw a chrefftwr llên.

Llên 'sgyfarnog a chogau, y galar
Pan giliai hen ffrindiau,
A'r Lôn Goed oedd berlau'n gwau
Yn hud yn ei ganiadau.

Caniadau y fflam dramawr a ruddai
Ei briddell yn Ionawr;
Anwylwch fan ei ddulawr,
Anwylwch lwch hyn o lawr.

(*Y Faner*, Ionawr 18, 1956)

Erbyn heddiw, gresyna Selwyn na fuasai wedi cofnodi
rhai o'r rhigymau difyr a doniol a adroddai Rolant. 'Ac
eto,' chwedl Selwyn, 'pwy fedrai sgriblo dim pan fyddai
Rolant yn rhigymu fel pe bai'n sgwrsio? Yr oedd mor
ddifyr fel na allai neb wneud dim ond gwrando.'

Un tro, ar un o'r teithiau hyn, teimlai William John
ei bod hi'n hwyr glas iddynt gael paned yn rhywle a
cheisiai droi pob sgwrs i'w chyfeiriad. Er mwyn codi mwy
o chwant paned fe adroddodd Rolant bill i'r tegell:

Oes rhywun yn rhywle, yn ffôl neu yn ddoeth,
All ganu mor swynol a'i din o mor boeth?
Y wisg sydd amdano yn ddu fel y frân,
Ar ôl iddo ganu mi bisith i'r tân.

Os bu bywyd llawn rhyw dro, bywyd Rolant o Fôn
oedd hwnnw.

Eisteddfota

Magwyd Rolant o Fôn yn y traddodiad barddol a ffynnai ym Mro Hwfa, gyda digon o feirdd gwlad deheuig i droi atynt am gyfarwyddyd. Yn ôl T. D. Roberts, fe âi Rolant i unrhyw bellter i ymweld â bardd neu lenor. Er enghraifft, fe âi ar gefn ei feic ar bnawniau Sadwrn i Fryn-du at y Prifardd William Morris i drafod y cynganeddion a byddai'n llaes ei ganmoliaeth a'i werthfawrogiad o'r gwŷr hyn am eu cymorth iddo. Wrth gwrs, byddent yn ei gymell i gystadlu yn yr eisteddfodau lleol a oedd mor boblogaidd ym Môn fel mewn rhannau eraill o'r wlad. Gosodai'r eisteddfodau hyn arbenigrwydd ar bentrefi bach digon distadl ac fe ddaethant yn enwog o'r herwydd. Eisteddfod Marian-glas oedd un o'r enwocaf ohonynt. Dyma fro Hugh Griffith yr actor ac Elen Roger ei chwaer amryddawn. Ni bu taw ar ganmoliaeth i'r fro ddiwylliedig hon a deil y traddodiad a'r sêl eisteddfodol yn yr ardal o hyd. Yn yr eisteddfod hon yn 1928 yr enillodd Rolant ei gadair gyntaf ac yntau'n ddim ond pedair ar bymtheg oed. Roedd yn naturiol iddo drysori'r atgofion am yr achlysur neilltuol hwnnw. Cadwodd y telegram a'i hysbysodd o'i lwyddiant a gallwn ddychmygu'n hawdd y llawenydd a gafodd wrth ddarllen ei gynnwys:

Post Office Telegrams
Office of Origin — Tynygongl
Time — 2.30p.m. — 25.2.28
Ten Words.

'Jones, Rhosgofer Llangefni. Marian Glas Chair Yours please be present. Davies.'

Deg o eiriau a droes yn orfoledd. Eisteddodd Rolant ymhlith yr eisteddfodwyr yn hen ysgol y Marian yn disgwyl galwad y Corn Gwlad. Canodd y Corn a safodd yntau fel milwr i'r gad er mor hogynnaidd yr olwg arno. Gan nad edrychai fel bardd o gwbl rhoes eisteddfodwr eiddgar ei law fawr ar ei ben gan sibrwd yn hyglyw wrtho, 'Eistedd i lawr y diawl bach coch imi weld pwy sydd wedi ennill'. Cryn fraw i'r dyn hwnnw oedd sylweddoli mai hwn wedi'r cwbl oedd bardd Cadair Marian-glas.

Yn eisteddfod y Marian y flwyddyn ddilynol fe goronwyd Rolant. Un a fu'n athrawes arno oedd ysgrifenyddes yr eisteddfod y flwyddyn honno:

'F'annwyl hen ddisgybl

Llongyfarchiadau fflamgoch ar ennill ohonoch goron Eisteddfod Marianglas (1929). Yn ôl yr amodau disgwylir i chwi fod yn bresennol.

Cofion chwilboeth hyd nos yfory

Eich hen arholydd llafar — J. Mona Hughes.'

Yn 1930 yr oedd Rolant yn ôl eto yn y Marian i eistedd yn ei ail gadair eisteddfodol. Yr oedd cryn rwysg ynglŷn â'r ddefod y tro hwn dan arweiniad Derwydd Gweinyddol Môn, Llew Llwydiarth, gyda'r Cofiadur J. Môn Hughes a bardd cadeiriol Eisteddfod Môn y flwyddyn cynt, John Owen, Bodffordd.

Yn Ebrill yr un flwyddyn enillodd Rolant gadair eisteddfod Bryn-du — hon eto yn eisteddfod bur enwog a phoblogaidd. Fe'i cynhaliwyd yng nghapel helaeth y Methodistiaid gyda chefnogaeth frwd y gweinidog, y Parch. William Morris. Testun y gadair oedd: 'Ar y Traeth'. Ymgeisiodd naw ac, yn ôl y beirniad, y Parch. John Pierce, doedd yr un ohonynt yn anobeithiol ond roedd 'Hiraethus' yn rhagori arnynt i gyd ac yn gwir deilyngu'r gadair.

Jane Hughes, Cartrefle (mam-faeth Rolant).

Ysgol Pen'rallt Llangefni gyda Rolant ar y dde i John Griffith Jones y prifathro.

Morfudd, Gwawr a Gwyn gyda'u rhieni.

Huw Llew Williams, Rolant, a Robert Williams, Marian-glas.

Dosbarth Ysgol Sul Pisgah Rhostrehwfa.

Tîm Ymryson y Beirdd.

Timau Ymryson y Beirdd gyda Sam Jones.

Anrhegu Gordon Roberts gyda chyfreithwyr Môn yn 1952.

Aelodau y Ford Gron, Amlwch.

"ROLANT"

Byddai'r eisteddfodau hyn yn bur boblogaidd gan y wasg. Cyhoeddodd y *Liverpool Echo* lun o Rolant ar gadair Bryn-du gyda'r pennawd *Young Poet's success*, ac arno olwg hynod o fachgennaidd. Mae'r papur yn ein hatgoffa mai ef hefyd oedd bardd cadeiriol Eisteddfod Llandderfel ddeuddydd ynghynt ar Wener y Groglith. Bu'r *Clorianydd* dan olygyddiaeth E. O. Jones yn ffyddlon iawn i'r eisteddfodau lleol hyn a cheid adroddiad o bob un gyda'r manylder mwyaf. Buont yn feithrinfa dda i Rolant, daliai ar bob beirniadaeth gan gywiro lle'r oedd cam a gloywi lle'r oedd canmoliaeth. Bu sylwadau beirniaid fel Gwili, Cynan a William Morris yn symbyliad iddo fentro i Eisteddfod Môn — y frenhines — ac roedd ennill ei gadair gyntaf yno yn achlysur neilltuol iawn iddo. Yr oedd Golygydd y *Clorianydd*, E. O. Jones a Rolant yn gyfeillion agos, digon agos i E.O. fentro hysbysu ei gyfaill mai ef fyddai bardd Cadair Môn ym Mrynsiencyn. Nododd Rolant y newyddion yn ei ddyddiadur am Ebrill 4, 1931 fel hyn: 'Newyddion gorfoleddus a hyfryd'. Bu'n ddigon anodd arno guddio ei deimladau a'i lawenydd rhag ei gyfeillion a'i gydnabod am dridiau. Ar ddydd Llun yr eisteddfod fe goronwyd Evan Jenkins, Ffair-rhos a thrannoeth cadeiriwyd Rolant am y tro cyntaf yn Eisteddfod Môn. Cafodd feirniadaeth galonogol iawn. Yr oedd saith ymgeisydd yn y gystadleuaeth ar y testun 'Gweledigaeth'.

Bu ennill y gadair hon yn drobwynt arbennig yng ngyrfa farddol Rolant. Cyfrifid ennill y gadair hon yn gryn gamp yn arbennig felly o gofio nad oedd Rolant ond dwy ar hugain oed. Bu'r beirdd yn hael iawn eu clod a'u canmoliaeth. Dyma englyn Meirionfab, ymhlith llawer, iddo:

> Rolant, rwyt yn yr heulwen — ar adain
> Yr ehedydd fechen;
> I lawr i lawr o'r wawr wen
> Y daw eco dy acen.

Mynd rhagddo fu ei hanes gan ennill yn gyson a chasglu cadeiriau. Enillodd y goron yn Eisteddfod Môn yn 1934 a'r gadair y flwyddyn ddilynol. Enillodd gadair Eisteddfod Powys yn 1932 a chadair Eisteddfod Lewis, Lerpwl yn 1934.

Ond nid cystadlu'n unig a wnâi yn yr eisteddfodau hyn er mai dyna'r atyniad pennaf a'r cymorth mwyaf iddo. Byddai cwmni'r beirdd a'r llenorion wrth fodd ei galon hefyd. Erbyn Eisteddfod Genedlaethol Bangor 1931 yr oedd yn fardd cadeiriol Eisteddfod Môn ac fe roes hynny gryn hyder a hawl iddo ymdroi ymhlith beirdd y genedl. Teimlai'n ddigon hyderus i ddatgan ei farn ar 'Y Dyrfa' a enillodd y goron i Cynan ym Mangor. Mynnai Rolant nad pryddest oedd ganddo ond baled, a honno'n ddigon cyffredin!

Yn Eisteddfod Bangor y cyfarfu â'r Prifardd D. Emrys James (Dewi Emrys) am y tro cyntaf a bu'r ddau yn trafod ac yn beirniadu pryddest Cynan, gan fod y Prifardd wedi cynnig am y goron ei hun. Yr oedd Dewi Emrys yn awyddus iawn i'r bardd ifanc anfon peth o'i waith ato ac iddo yntau roi barn deg a chytbwys arno. Ymhlith pethau eraill anfonodd Rolant ei awdl fuddugol ym Mrynsiencyn, 'Gweledigaeth', ac mae'n amlwg ei fod yn trysori'r llythyr a dderbyniodd gan y Prifardd:

17 Malvern Terrace
Bryn Mill
Swansea.
Rhag 10ed, 1931

Annwyl Rolant,

Rhaid ymddiheuro am gadw eich cyfansoddiadau hyd yn awr, gyda dweud nad yn hawdd y gollwng neb beth da o'i law!

Arfaethwn beunydd droi wyneb yr awdl a'r bryddest i gyfeiriad Llangefni, a'r dyddiau'n llithro heibio'n ddiarwybod a'u gado'n ddiogel a chysurus ddigon yng ngofal bardd a'u darllenodd yn drwyadl iawn, a chael hyfrydwch yng nghymdeithas yr awen firain a'u lluniodd. Darganfûm yn fuan fy mod yng nghwmni bardd, a dyna ddigon o esgus dros aros gydag ef mewn porfeydd gwelltog gerllaw'r dyfroedd tawel. Rhyw ddosbarthiad ofer nas goddefaf i yw 'bardd da' a 'bardd sâl'. Os bardd, bardd, canys prin ymysg rhigymwyr ymhongar yw'r rhai a alwyd i'r bendefigaeth honno. Hyfrydwch i mi yw medru tystio — ac rwi'n ŵr go blaen a diwastraff rhan geiriau fy marn, ar waethaf fy ngholliadau fy hun — i mi gael ynoch fardd ac i'r sawl a fynno'r enw hwnnw, ei haeddu heb falio rhyw liwiau fel 'da' a 'gwael', 'trwm' ac 'ysgafn' etc. yw ei oruchafiaeth. Cyfaddefwch mai newyddian ydych. Ceir profion o hynny yma ac acw yn y cyfansoddiadau amgaeëdig. Eithr beth am hynny? Dechreuwyr ydym oll a byddom yn grefftwyr digon da i anfodloni ar ein creadigaeth oll a gweld o hyd y perffeithrwydd nas meddiannwyd.

Parhaf yn ddigon hen ffasiwn i gredu y dylai testun cân ei fynegi ei hun ym mhlethwaith y gerdd, canys pwy a lwyddodd i baentio rhosyn pan ofynno edrychwyr ai bresychen a fwriadwyd. Credaf hefyd y dylid gofalu am unoliaeth adeilad ag iddo gynllun pendant, pan lunier awdl neu bryddest. Heb os, dyna ddiffyg eich pryddest. Pos i mi fyddai penderfynu i ba beth yn arbennig y canwyd oni bai i chwi nodi mai'r 'Dyrfa' oedd y testun. (*Mewn gwirionedd, nid 'Y Dyrfa' oedd testun pryddest Rolant!*) Cyll hefyd mewn unoliaeth — cyfres o delynegion gwych, ac ambell gwpled cain a chofiadwy, heb fawr o gyswllt rhyngddynt — heb fod y naill yn arwain i'r llall fel canghennau a dyf allan o'r un cyff. Dyna fy syniad i, a chredaf fod hen gerddi clasur y Groegwr a'r Lladinwr yn batrwm campus yn hyn o beth. Ofnaf fy mod yn rhy hen i newid fy marn bellach.

Diolch yn fawr am roi imi gymaint pleser. Daliwch ati a chewch le ymysg y sêr a loywodd lwybr awen eich gwlad.

Gair arall: mae fy mhryddest i'r 'Dyrfa' eisoes ar y farchnad a galw calonnog amdani. Gwerthwyd dros fil yn barod, a daw archebion i law bob dydd. A rowch i mi enw llyfrwerthwr yn y cylch acw? Teimlaf yn sicr fod acw gyfeillion llengar a garai gael golwg arni. Fe werthodd Dewi

Meirion saith dwsin ym Mangor. Dengys hyn fod barn y Werin yn effro; a dyna gysur mawr yn wyneb llawer o anghaffael ym myd yr Eisteddfod.

A gaf i air yn fuan?

Cofion serchog atoch a phob dymuniad da.

Yn gywir os blêr

D. Emrys James

Mae'n amlwg fod Rolant yn awyddus i loywi ei awen a'i fod ar ddechrau'r tridegau yn anelu at y Gadair Genedlaethol. Heb os, yr oedd proffwydoliaeth Dewi Emrys yn symbyliad iddo: 'a chewch le ymysg y sêr . . .' Pa fardd na fynnai fod ymhlith y rheini? Ceir cofnodion ddigon fod Rolant wedi rhoi sawl cynnig ar yr awdl yn y blynyddoedd hyn, ac fel y dywed Selwyn Griffith, 'Bu'n eistedd ar ei braich amryw droeon'. Mae'n anodd meddwl am fardd a gafodd well beirniadaethau yn y Genedlaethol ac eto heb ennill. Credai amryw mai ef a ddylasai fod wedi cael Cadair Eisteddfod Wrecsam yn 1933 ond dyfarnwyd hi i Drefin am awdl 'Harlech'.

Ar y dydd olaf o Orffennaf, wythnos cyn Eisteddfod Wrecsam, cafodd Rolant lythyr gan Gwilym R. Jones yn dweud fel yr edrychai ymlaen at ei weld yn Wrecsam. Ychwanega 'nid oes gennyf linell i mewn ond hyderaf y cewch chwi y gadair y tro hwn — Hei lwc! Ni chlywais yr un si — mae pobol Wrecsam yn glos iawn, onid ydynt? Ni synnwn petai Gwynn Jones, Capel Garmon yn cael y Goron . . . Os clywaf rywbeth o Wrecsam, cewch air ar frys. Gwilym.'

Ond siomiant fu Wrecsam i Rolant er pob rhyw ddarogan. Eto, ar sail yr awdl hon o'i eiddo y proffwydodd R. Williams Parry fod y Gadair Genedlaethol yn eiddo iddo, pan fynnai fynd amdani o ddifrif. Yr un fu ei hanes yn Eisteddfod Caernarfon yn 1935 pan enillodd Gwyndaf gyda'i Awdl 'Magdalen'. Ond yr oedd Rolant yn gystal collwr ag oedd o enillwr. Daliai i gystadlu yn eiddgar a mwynhau pob Eisteddfod yn fwyfwy gan ei berswadio'i hun — 'y tro nesaf!' Ond ddaeth hi ddim yn Ninbych yn 1939 ar y testun 'A hi yn dyddhau'. Ataliwyd y gadair ond deil amryw o'r farn y dylasai Rolant (Garthewin) fod wedi ei hennill y flwyddyn honno.

Yr oedd sŵn yr Ail Ryfel Byd yn crynhoi yn ystod yr Eisteddfod hon a thaflwyd cymylau duon drosti. Bu effaith y rhyfel yn andwyol i'r Eisteddfod fel popeth arall. Yn sŵn y rhyfel hwnnw yr enillodd Rolant ei Gadair Genedlaethol gyntaf gyda'i Awdl 'Hydref' yn Eisteddfod Hen Golwyn 1941. Cynhaliwyd yr 'Eisteddfod Lenyddol Genedlaethol' honno mewn neuadd fechan lle'r eisteddai rhyw bum cant. Ond er nad oedd rhyw lawer o rwysg o gwmpas yr achlysur, yr oedd Rolant, o'r diwedd, yn Brifardd. Mae'n siŵr mai'r siomiant mwyaf iddo oedd y ffaith na chytunai T. H. Parry-Williams â'r ddau feirniad arall ac yntau'n gymaint arwr yn ei olwg.

Yn naturiol, bu ennill y gadair hon yn gymhelliad i Rolant ymroi yn fwyfwy i gyfansoddi. Yn 1944 daeth yn agos iawn i'r brig eto yn Eisteddfod Llandybïe. Cynhaliwyd yr Eisteddfod honno mewn hen sinema digon di-raen. Yn ôl y feirniadaeth a gafodd ei awdl, fe dybid yn siŵr fod Cadair Llandybïe yn eiddo iddo, ond, er i'r tri beirniad gytuno mai ef (Pen Cei) oedd bardd disgleiriaf y gystadleuaeth ni chafodd ei gadeirio. Yn nhyb y beirniaid doedd yr awdl ddim digon testunol. Yn ei feirniadaeth cydnabu T. H. Parry-Williams, 'Os ein dylni ni yw'r achos am hynny, nid oes gennym ond ymddiheuro i'r bardd galluog a'r cynganeddwr grymus hwn.' A dyma a ddywedodd Thomas Parry ei gyd-feirniad, 'Wele fardd cyhyrog, sicr ac arbennig ei leferydd. Nid bodlon hwn ar yr hen gyffredinedd nac ar wneud sŵn yn unig. Tery ei eiriau fel tinc cloch bersain.' Canmoliaeth yn wir, ond dim cadair! Nid rhyfedd i'w gyfaill E. O. Jones, y *Clorianydd* ysgrifennu ato'n syth mewn syndod:

Annwyl Gyfaill,

O fy ngho yn las. Sut ar y ddaear na bu i'r beirniaid eich deall? Dyna golli Cadair Llandybïe. Os methodd Parry-Williams, Thomas Parry ac S. B. Jones a threiddio i'r dirgeledigaethau, ple yr ymddengys y pechadurus cyffredin? Wir, teimlwn yn siomedig iawn — bardd gorau'r gystadleuaeth yn colli oherwydd dylni'r beirniaid!

Yn bur

E. O. Jones.

Er hyn i gyd ni ildiodd Rolant. Daeth yn ail orau yn Aberpennar yn 1946, a'r flwyddyn ddilynol ym Mae Colwyn. Fe gyhoeddwyd yr awdl honno — 'Y Porthladdoedd Prydferth'.

Ond yr oedd awr fawr Rolant o Fôn eto i ddod. Yn Eisteddfod Dolgellau 1949 fe'i cadeiriwyd am yr eildro yn y Genedlaethol a hynny am un o awdlau mwyaf nodedig y ganrif, 'Y Graig'.

Mae'n naturiol i enillydd cyson gael ei alw i feirniadu; fe ddigwydd hynny ym mhob cylch, ac fe alwyd Rolant yn gyson fel beirniad i'r eisteddfodau lleol ledled y Gogledd, i Eisteddfod Môn ac i'r Genedlaethol. Fel ym mhob peth arall, yr oedd yn feirniad unigryw. Cyflwynai ei feirniadaeth yn ffraeth a diddorol gan lwyddo i roi neges bwysig ym mhlygion y doniolwch. Yr oedd ganddo ddawn i foddhau unrhyw gynulleidfa, hyd yn oed wrth draddodi beirniadaeth drom.

Fel beirniad yr oedd ganddo ei syniad a'i safon ynglŷn â swyddogaeth barddoniaeth. Iddo ef, prif ddyletswydd bardd yw canu i'r gymdeithas y try ynddi — yn ei llawenydd, ei thristwch, ei chyfoeth a'i thlodi. Ymfalchïai yn ei fagwraeth: 'Oherwydd fy magu mewn ardal wledig, lle mae ffraethineb yn rhan hanfodol o batrwm byw, credaf nad oes greadur doniolach ar wyneb daear na'r Cymro cefn gwlad.'

Tystiai'r Prifardd Gwilym R. Tilsley na welodd neb siriolach a haws cydweithio hefo fo wrth feirniadu. Yr oedd ganddo syniad pendant o'r hyn a ddylai cynhyrchion y Genedlaethol fod. I Rolant, eisteddfod y genedl oedd yr Eisteddfod Genedlaethol ac nid oedd yn haeddu dim ond y gorau. Credai y dylai cyfrol y cyfansoddiadau fod yn gyfryw fel y gallai'r genedl ddweuc, 'Dyma'n dyheadau a dyma'n safonau ni'. Byddai'n bur feirniadol o'r graddedigion a'r academwyr. Mynnai fod cenedl y Cymry yn dioddef oddi wrth y frech academaidd mewn beirniadaeth. 'Rhoddir graddau ymchwil i'r peth yma a'r peth arall,' meddai, 'y pethau y buasai Robert Roberts yr Almanaciwr o Gaergybi wedi eu datrys pe bai wedi rhoi ei ben ati. Rhaid inni dorri'n rhydd oddi wrth y gwaseidd-dra i'n hathrawon colegol; aethant hwy i feddwl eu bod yn awdurdod ar bob awen, dawn a chrefft. Rhaid i bawb ystyried cymryd cryn binsiad o halen cyn llyncu popeth a ddywedant.' O bryd i'w gilydd fe godai Rolant yr hen ddadl yn erbyn 'Ceiliogod y Colegau'. Mae'n ymddangos na theimlai'n gyfforddus bob amser ymhlith yr academwyr.

Yn Eisteddfod Llanrwst 1951 y bu'n beirniadu'r Awdl Genedlaethol am y tro cyntaf. Yn ddiddorol iawn, barddgyfreithiwr fel yntau a enillodd y Gadair yno, sef Brinley Richards. Yn y Babell Lên wedi'r cadeirio, rhoes Rolant sylwadau ar y pedair awdl ar bymtheg gan ddyfynnu'n helaeth o'u cynnwys heb yr un nodyn. Yr oedd, fel twrnai, wedi'i ddisgyblu ei hun i gofio'i neges. O ganlyniad, yr oedd beirniadaeth o'r frest felly yn llawer iawn haws i'w gwrando. Cafodd eisteddfodwyr Llanrwst y fath fwynhad yn gwrando arno — mor ffraeth a chartrefol. 'Peth astrus,' meddai, 'yw ebychu "Och", "O" ac "Ow" mewn canu cyfoes. Rhyw fath o lymbego neu gowt llenyddol yw hyn, a dylid ei alltudio unwaith ac am byth.'

Ar ei faes ei hun, Llangefni, yn 1957 y galwyd arno i feirniadu'r Gadair yr eildro. Y tro hwn yr oedd yn y canol rhwng y ddau golosws academaidd Thomas Parry ac Euros Bowen. Eto i gyd, Euros Bowen oedd yr un a anghytunai. Dyma lythyr Euros at Rolant ar 11 Mehefin, 1957.

Annwyl Rolant,
Rwy'n amgáu copi o'r llythyr a anfonais yn ateb i lythyr Thomas Parry a diolch i chwi am eich llythyrau. Wel mae'n amlwg mai anghytuno fydd hi.

Carwn innau ddweud mor gofiadwy oedd y drafodaeth a fu rhwng y tri ohonom yn Y 'Llew Gwyn', y Bala ac yn enwedig y cof am eich amynedd chwi â mi.

Byddaf yn disgwyl ymlaen at eich gweld yn Llangefni.

Yn gynnes iawn,

Euros.

Dyma'r llythyr a anfonodd Rolant at ei ddau gyd-feirniad ar 23 Mai, 1957, lle y gesyd ei farn yn glir a phendant ynglŷn â'r feirniadaeth:

Annwyl gyfaill,
Bûm drwy'r awdlau i gyd fwy nag unwaith erbyn hyn ac yn fy marn i yr awdl sy'n dwyn y ffugenw 'Tryfan' i'r testun 'Cwm Carnedd' yw'r orau o gryn dipyn. Credaf hefyd ei bod yn teilyngu'r gadair, er fod ambell glwt cyffredin ynddi yma a thraw. Ni allaf argyhoeddi fy hun fod yn y gystadleuaeth yr un awdl arall a ddaw i gyrraedd y gadair.

Os bydd cydwelediad rhyngom ar yr awdl orau, a debygwch chwi fod eisiau trafodaeth? Amdanaf fy hun, ni fwriadaf geisio dosbarthu'r cystadleuwyr na gwneud sylwadau arnynt un ac un. Meddwl yr oeddwn i am wneuthur ychydig o sylwadau cyffredinol ar y gystadleuaeth yn ei chyfanrwydd a manylu peth ar yr awdl orau. Cawsech chwithau, sy'n fwy profiadol a gwybodus na mi, drin techneg orgraff ac awenyddiaeth y beirdd hyn.

Gan ddisgwyl gair o'ch barn a'ch cyngor.

Cofion caredig iawn atoch,

Yn bur,

Rolant.

Yr oedd yn ymwybodol iawn ei fod yn y canol rhwng y ddau academydd hyn. Er hynny, dywedai ei reddf wrtho mai awdl 'Tryfan' oedd yr orau.

Dyma eto rannau o lythyr Thomas Parry at Euros Bowen (gyda chopi i Rolant, yn ôl y drefn):

Annwyl gyfaill,

Dyma fi wedi darllen a meddwl hyd chwysu a diflasu bron, er pan welais chwi. Ni allaf yn fy myw gytuno â chwi fod 'A' wedi bwriadu i'r awdl fod yr hyn a ddywedwch chwi. I mi y cwbl a wna'r awdur yw traethu'r stori yn wrthrychol a deoledig, lawn mor wrthrychol ag y dywed Gwynn Jones stori Ymadawiad Arthur neu Eben Fardd hanes 'Dinistr Jerusalem'.

Thomas Parry.

Yr oedd Thomas Parry, fel Rolant, o'r farn mai awdl 'Tryfan' a deilyngai'r gadair, er nad oedd honno, yn ei dyb ef, yn gampwaith.

Credai Rolant y dylai bardd fod yn lladmerydd ei genedl ac yn genhadwr iddi ac ynddi. Yn naturiol, byddai pwnc fel diboblogi cefn gwlad Cymru, sef yr hyn a gaed gan 'Tryfan', yn apelio ato. Safodd Euros Bowen yn ei rych gan fynnu mai awdl 'Arab' oedd yn teilyngu'r gadair. Y Prifardd Gwilym Ceri Jones oedd yr 'Arab' hwnnw, sef enillydd y gadair ym Mhwllheli ddwy flynedd ynghynt. Ei awdl ef, 'Bro'r Ogofâu', fu achos yr anghydfod yn Llangefni. Fel y gwyddys cadeiriwyd y Prifardd Gwilym R. Tilsley am ei awdl boblogaidd 'Cwm Carnedd'.

Oherwydd gwaeledd, Eisteddfod Genedlaethol Caernarfon 1959 oedd yr un olaf i Rolant feirniadu'n gyhoeddus ynddi. Ymhen dwy flynedd, yn Nyffryn Maelor, ni allai fod yn bresennol i feirniadu cystadleuaeth y cywydd, er mawr ofid i ffyddloniaid y Babell Lên. Methodd hefyd â mynd i Eisteddfod y Groglith, Llandderfel yn 1962. Y feirniadaeth ysgrifenedig honno o'i eiddo oedd ei feirniadaeth olaf.

Edrychai ymlaen yn eiddgar at feirniadu'r Awdl yn Eisteddfod Genedlaethol Llandudno yn 1963. Yn ôl y Prifardd Selwyn Griffith, yr oedd, er gwaethaf ei wendid a'i waeledd, yn obeithiol y câi fynd yno. Gan mai ei enw ef oedd gyntaf ar restr y beirniaid yr oedd pob rheswm i gredu mai ef a gâi'r anrhydedd o draddodi'r feirniadaeth yn seremoni'r cadeirio, anrhydedd na ddaethai i'w ran erioed, ac anrhydedd y dylasai fod wedi'i chael yn Llangefni chwe blynedd ynghynt. Ond ni chafodd Rolant y fraint o fynd i Landudno ac ni chafodd eisteddfodwyr 1963 mo'r hyfrydwch o wrando'i ddawn a'i ffraethineb rhyfeddol yn traddodi'r feirniadaeth.

Os bu eisteddfodwr pybyr rhyw dro, Rolant o Fôn oedd hwnnw. Trwy gydol ei fywyd cefnogodd eisteddfodau bach a mawr a bu ei gyfraniad iddynt yn ddifesur. Cyfaddefodd wrth Selwyn Griffith y buasai wedi ennill y Gadair Genedlaethol flynyddoedd ynghynt pe na bai wedi 'rwdlian' hefo'r mân eisteddfodau. Er hynny, fe rannodd o'i amser a'i allu yn deg rhwng eisteddfodau lleol a chenedlaethol.

Wythnos i'w Chofio

Eisteddfod Llangefni 1957 oedd wythnos fawr Rolant. Ef, heb os, oedd Brenin y Brifwyl honno, ac ef, fel Cadeirydd y Pwyllgor Gwaith, a groesawai'r genedl i Fôn am y tro cyntaf er 1927. Croeso'r ardal a adwaenai ac a garai fwyaf, sef Bro Hwfa, a roes Rolant i Eisteddfod 1957 — manylu ar yr agos yn hytrach na chwmpasu'r sir gyfan. Erbyn eleni, 1999, bu cryn newid a chwalu ar y gymdeithas. Aethom bellach i sôn am y byd fel un pentref ac am farwolaeth y pell. Yn oes Rolant yr oedd pob pentref yn uned bwysig ac yr oedd pob pellter yn cyfrif. Yn ei groeso i Brifwyl '57 mynegodd ei hiraeth am yr hen gymdeithas, ei chymeriadau a'i harferion. Ei ddyhead oedd i'r Eisteddfod anadlu bywyd newydd i fro a phentref. Breuddwydiai ac fe hiraethai am y gorffennol a adnabu ac a gollodd yng nghefn gwlad Rhostrehwfa a Môn.

Ond, er mor annichon yr ymddangosai breuddwyd Rolant am adferiad y pentref a'r bywyd gwledig, y mae'n traethu'n ddifyr odiaeth wrth blethu hanes ei fro gyda'i atgofion personol:

Aeth chwarae plant yn gwbwl artiffisial. Yn ein plentyndod ni y rhai hŷn yr oedd i dlodi a diffyg manteision eu bendith gan eu bod yn esgor ar ddyfais ac awch am ddysg a gwybodaeth. Caem ni yn blant bleser digymysg yn hel cnau, dwyn afalau a chwarae cuddio. Yr oedd tymor i bob chwarae

— chwarae top a lluchio marblis. Yr oedd llanciau yn streicio am gariad ac nid am gyflog. Gan ei bod yn gymdeithas mor dlawd a'r angen mor fawr yr oedd clapio am wyau, hel caws llyffant wedi'r cynhaeaf gwair, casglu mwyar yn yr hydref a chanu carolau tua'r Nadolig, yn ddigwyddiadau o'r pwys mwyaf i ni'r plant. Yr oedd cinio dyrnu yn bwysicach na'r un wledd arall a chwrdd pregethu yn fwy ei fri o lawer na'r un Eisteddfod Genedlaethol.

Cymeriadau

Yr hyn a roddai flas ar gymdeithas oedd ei chymeriadau. Cofiaf yn dda hen wraig garedig yn yr ardal a chanddi gar uchel a merlyn tal ynddo. Ei busnes hi oedd cario moch bach yma ac acw i hwn a'r llall o farchnad Llangefni. Byddwn wrth fy modd yn mynd efo'r hen wraig ar ei siwrnai, fy nhraed ar y llorp a'm pen yn y nefoedd. Ni bu pasiant mwy rhadlon a bonheddig erioed o'r blaen, ac ni cheir ei debyg eto. Yr oedd hen lanc o dyrchwr yn byw yn yr ardal. Bu ar un amser yn aelod o'r 'Scotish Highlanders'. Gan ei fod yn byw ar ei ben ei hun, byddai croeso unrhyw amser i ni'r plant yno i chwedleua a chwarae 'bord rings'. Arferai gael pwdin lwmp bob Nadolig o fferm gyfagos. Ond aeth rhywun gwaeth na'i gilydd â rwdan iddo un Nadolig wedi ei lapio yn union fel y pwdin. Chawsom ni ddim derbyniad i'w dŷ yn hir wedyn. Ac er i rai ohonom ddwyn tatws cynta'r tymor o sosban ferwi hen wraig arall, cawsom faddeuant. Yr oedd maddeuant, goddefgarwch a doethineb yn nodweddion gwerthfawr yr hen fro. Bellach aeth y plant yn bobol a'r bobol yn blant.

Marchnad Llangefni

Diwrnod mawr yr wythnos oedd Marchnad Llangefni. Ceid digonedd o hwyl yno ac ambell ysgarmes. Byddai'r sgwâr yn llawn troliau moch bach, y gwartheg yn segur bori eu cil hyd ochrau'r strydoedd, a'r merched yn gwerthu wyau ac ymenyn. Sŵn a chwerthin plant lond y lle. Caem ddimai i brynu pethau da 'baw llygod'! Yr oedd Deiniol Fychan a werthai lyfrau Cymraeg yn gwneud busnes da gan y byddai yno ddigon o Gymry darllengar. Gwisgwn fy nghap ar batrwm hogia'r Talwrn — wedi ei osod ar ochor y pen gan guddio un llygaid a chadw'r llall ar agor er mwyn rhoi winc ar y morwynion. Gwych hefyd oedd ymweld nos Sadwrn â Siop Jane Ellis yn Stryd y Bont. Ceid yno bastai a phys a llond gwlad o groeso. Cawn orig ddifyr gyda'r clocsiwr a'r crydd a throi i wrando englyn ym Mhenlan. Chlywais i neb a fedrai adrodd englyn fel Ioan Môn ac ni welais neb a ragorai ar Betsi Jones am damaid o fwyd. Oedd, yr oedd pobol yn gwybod sut i borthi'r corff a'r meddwl yn y dyddiau hynny. Golygfa i'w chofio oedd gweddau a wagenni Lledwigan yn mynd â'r grawn i'r stesion. Yr oedd haf yn haf yr adeg honno a phawb wrth eu bodd.

Yr adar gwerinol:
Treuliwn fy ngwyliau o'r Ysgol Sir yn teneuo rwdins, carthu cytiau moch a phaentio llidiardau i hwn ac arall, a rhwng yr arogl pridd, paent a thail yr oedd fy nyfodiad i dŷ yn rhywbeth i ogleisio'r llygad a llenwi'r ffroen. Ond yr oedd yr enillion bychan yn werthfawr tuag at gael llyfr neu ddilledyn a chredaf na ellir cymeriad heb lafur ac ymdrech hyd yn oed yn nyddiau bachgendod. Un o felltithion y Weinyddiaeth Les yw gwneud bywyd yn rhy hawdd ac anghyfrifol a pheri diogi ac anonestrwydd tymhorol ac ysbrydol. Tuedd yr oes hon yw troi'n rhy aml at ddrysau'r Weinyddiaeth Les a cheisio yno rent a gwala, heb ystyried fod gwaelod i'r hosan, nac ychwaith falio am gyfrannu dim mewn gwaith nac ymdrech tuag at ffyniant gwlad. Daeth y diogyn a'r spif, y Tedi Bois a'r holl afradloniaid eraill bellach i'w hetifeddiaeth a lladdwyd iddynt y llo pasgedig. Yr aflwydd yw mai arian pobol ddiwyd a fforddiol sy'n talu am y llo hwn.

Eleni felly i ardal a chymdeithas dra gwahanol i'r hyn a fu y daw'r eisteddfod. Nid oes yma neb yn hel poteli, a berw dŵr erbyn hyn, na neb yn codi wyau ac ymenyn. Aeth yr enwyn yn brin ac ymenyn ffres yn brinnach. Ychydig iawn sy'n corddi a phobi. Oes y pethau parod yw hi. Ond hyd yn hyn y mae'r iaith yn dal ei thir yn y fro, a'r diwylliant Cymraeg yn blodeuo ar waethaf pob anhawster. Cofier nad y gwŷr amlwg sy'n cynnal y diwylliant hwn. Ei geidwaid bellach yw'r crefftwr, y llafurwr ac ambell i fasnachwr a'i wreiddiau yn rhedeg ymhell i'r gorffennol. Y rhai hyn a rydd groeso gwir i'r Ŵyl. 'Yr adar gwerinol sy'n cynnal y gân.'

Hogi'r Haearn

Y mae cariad gwerin at ddiwylliant i'w briodoli i'r Ysgol Sul, y Gymdeithas Lenyddol a'r Cyfarfod Plant yn hytrach nag i unrhyw gyfundrefn addysg arall. Yn nyddiau fy mhlentyndod i, cofiaf fel y byddem yn cystadlu darllen â'r oedolion a hynny ar goedd. Yr oedd haearn hen yn hogi'r haearn ifanc, ac yr oedd gwybodaeth o'r Ysgrythur yn hanfodol, yn llawer mwy hanfodol na rhifyddeg a phethau felly. O ganlyniad codwyd to o blant deallus, er fod i ddireidi ei le a'i amser. Trwythid ni'n gynnar yng ngweithiau beirdd, llenorion ac emynwyr a byddai gennym gôr plant yn yr ysgol. Daeth arweinydd y côr hwnnw i amlygrwydd Cenedlaethol wedi hyn. O'r un dosbarth â minnau yr yr Ysgol Sir, daeth amryw o'r hogiau i ddal swyddi pwysig ac yn ysgolheigion gwych. Enwaf ddau yn unig, sef y Dr John Henry Jones a William Rowlands, yr Arolygydd Sirol. Cynnyrch cymdeithas bwyllog a bonheddig ydynt hwy fel llawer o flaenwyr Cymru heddiw. Yr oedd bechgyn fel hyn yn ymffrostio yn eu Cymreictod cyn i'r colegwyr cyfoes dybio fod iachawdwriaeth a pharhad y genedl yn fonopoli plaid.

Y mae arnaf i ac eraill ddyled arhosol i wŷr fel John Griffith Jones (yr hen Sgŵl) a gyfunai orau tref a gwlad mewn cymeriad gloyw, y Parch David Lloyd a gymerai baned braidd ym mhob tŷ gan dreulio ei oes i adnabod a bugeilio 'ei ddefaid a'i ŵyn', Owen Jones y Coedmor a fynnai gefnogi a gwthio pob plentyn yn ei flaen; y Prifathro R. S. J. Evans a'r Parch. John Pierce a roes i mi fy ngwobr gyntaf am rigymu. Dynion o'u caliber nhw yw halen y ddaear ac arhosant yn oleudai yn y cof.

Y Corau

Nid angof chwaith yw corau mawr a chorau meibion Llangefni, a ddug fri i'r Ynys ar lwyfan y Genedlaethol a hynny pan oedd Corau enwocaf Lloegr a De Cymru ar eu huchelfannau. Canent 'Yr Ystorm' yn odidog ac y mae sŵn y rhaeadrau yn aros fyth yn fy nghlyw.

Dyma'r fro a dyma'r math o fyw sy'n gefndir i'r ardal a

rydd groeso i'r Eisteddfod eleni. Bydd ysbrydion fyrdd yno'n gwarchod a mwynhau campau'r genedl. Bro a rhin y pridd yng ngwaed ei chymeriadau ac iechyd y meysydd yn eu hwynebau ac yr oedd pob un yn ei ffordd ei hun yn fardd. Bywyd agos at Natur oedd bywyd bro, yn llawn cadernid y graig ac addfwynder llethr ac afon. Nid yw'n rhyfedd fod cymdogaeth dda yn ffynnu a chymwynasgarwch yn eiddo cynefin mewn cymdeithas felly. Yr oedd pobol yn deall ei gilydd. Yr oedd hynny cyn dyfod o goleg yn beth cyffredin a chyn i addysg esgor ar y bom atom.

Sugnodd Eisteddfod Genedlaethol 1957 yn helaeth o gynhysgaeth ddiwylliannol y fro arbennig hon a dyna pam iddi fod yn ŵyl mor neilltuol.

Yn yr eisteddfod honno y daeth y Babell Lên yn atyniad mor boblogaidd, gyda Rolant yn ei afiaith. Deil amryw mai yn y Babell Lên yr oedd ef ar ei orau ac mae'n eithaf amlwg mai gweithgareddau'r Babell a'i gwnaeth yn eisteddfod mor neilltuol ac yn wythnos i'w chofio i gynifer o bobl. Rolant gyda'i ddireidi iach, ei agosatrwydd a'i arabedd llifeirol oedd y Babell Lên y flwyddyn honno. Ym Mhrifwyl '57, ar ei faes ei hun, yr enillodd ei le yng nghalon y genedl. Fel y dywedodd Rhydwen Williams ar y pryd, 'Un o brofiadau mawr yr Eisteddfod Genedlaethol yn Llangefni oedd gwrando ar Rolant o Fôn, y gŵr bywiog a'r bardd grymus hwn yn traethu ar awdlau'r Brifwyl. Profodd ei fod yn feistr ar y mesurau caeth ac mae'n medru trafod y gelfyddyd yn gyfareddol o flaen cynulleidfa.'

Prif atyniad y Babell Lên oedd Ymrysonau'r Beirdd gydag englynion a chwpledi cofiadwy ac wrth gwrs ffraethineb profoclyd Rolant y beirniad. Mewn storm o fellt a tharanau y cychwynnodd yr Ymryson bnawn Llun. Rhoes *Y Cymro* bennawd awgrymog yn y 'Rhifyn Arbennig' — 'Canu yn y Mellt'. Doedd dim modd cychwyn y gystadleuaeth gan mor uchel oedd sŵn y taranau a'r gynulleidfa yn gogor-droi yn lle eistedd.

Cododd Rolant ei lais: 'Dowch da chi, setlwch i lawr inni gael dechrau.' Dyna ateb uchel o ganol y dyrfa aflonydd: 'Telynores Eryri sydd wedi colli ei chês.' Atebodd Rolant yn syth, 'Dew, mae'n rhaid mai twrna gwael oedd ganddi!' Tawelodd a llonyddodd y dyrfa dan chwerthin. Yna aed ymlaen â'r Ymryson. Galwyd ar dimau Sir Ddinbych a Sir y Fflint i agor y gystadleuaeth. Bu'n gystadleuaeth glòs a diddorol rhwng y ddwy sir — dwy gymdoges. Ar y terfyn yr oedd y ddau dîm yn gyfartal a gofynnwyd am englyn ychwanegol ar y testun 'Terfysg' i'w gwahanu. Ni fu erioed destun mwy addas ac amserol. Englyn Sir Ddinbych a gariodd y dydd:

> Taran sy' draw yn torri, — yna hyllt
>   Y fellten drwy'r myllni;
>   A'r ias eirias yn oeri
>   Ar y llawr dylifa'r lli.

Rhyw englyn gerfydd gwallt ei ben oedd eiddo Sir y Fflint, fel pe baent yn ofni'r mellt a'r taranau:

> Truenus dan law t'ranau — ydym oll
>   A dim hwyl at odlau;
>   Terfysg — i'r hwntw, tyrfau —
>   Diflas o'n cwmpas yn cau.

Ond fe gododd yr hwyl yn y babell er gwaetha'r terfysg a go brin fod llecyn mwy hwyliog ar y Maes na'r Babell Lên. Yn yr ail gystadleuaeth rhoes y beirniad y llinell hon i'w hateb: 'Go boenus yw gwraig benwan'.

Cafodd R. W. Roberts o dîm Dinbych farciau llawn am ei gynnig ef. Credai Rolant fod yma air o brofiad personol:

> Go boenus yw gwraig benwan,
> O am ras — daeth un i'm rhan.

Cafwyd cystadleuaeth cynnwys gair mewn cwpled. Yn briodol iawn y gair 'porthmon' a osododd Rolant. Dyma gwpled Mathonwy Hughes o dîm Dinbych:

Rhoes y gŵr y pris gore,
Porthmon o Fôn yw efe.

Doedd y beirniad ddim yn rhy hapus â'r ymdrech. Yr oedd yr 'efe' yn tynnu'n fawr oddi wrth ei gwerth ac yn ei gwneud yn debyg iawn i adnod. Ond, er hynny, rhoes dri marc amdani.

Tra bu'r beirdd wrthi'n ymlafnio anerchodd Rolant y gynulleidfa gan sôn am y newid mawr ym meirniadaeth yr englyn dros ganrif o amser. 'Pe bai'r Ŵyl ym Môn yn niwedd y ganrif dd'wethaf,' meddai, 'y testun fyddai "Drylliad y Royal Charter", ac fe ddisgwylid englyn yn gyforiog o bosibiliadau awenyddol. Byddai raid gwthio popeth am y testun i mewn. Erbyn dauddegau'r ganrif hon symudodd yr englyn i'r pegwn arall. Yr oedd yn gwbl angenrheidiol bryd hynny i gael un syniad llywodraethol a defnyddio hen eiriau.

'Erbyn heddiw newidiodd y drefn eto. Beth a ddisgwylid yn awr? Rhaid sôn am y wedd esthetig, y wedd atomaidd, y wedd niwtronaidd ac ati.'

Yna aeth ymlaen â'r gystadleuaeth. Gofynnodd am gwpled yn cynnwys y gair 'Croesor'.

Brysied dydd y rhydd yr Iôr
Ei ras i'r gŵr o Groesor.

Dyna gynnig Gwilym Hughes o dîm y Fflint a chafodd dri marc gydag awgrym y dylai ddiolch nad oedd Bob Owen yn bresennol! Rhoes bedwar marc i Roger Hughes am y cynnig hwn:

Gŵr pob oes yw Bob Croesor,
Hyd y to mae'n stocio'i stôr.

Mae'n werth cofio englyn Rolant ei hun i Bob Owen ar gais William Morris yn y Babell Lên yn Aberystwyth 1952:

Drylliodd ddelwau Llannau Llên, — a rhegodd
Oreugwyr yr Awen;
Er beio'n hir a byw'n hen,
Yn y baw mae Bob Owen.

Yna gofynnodd am ateb i'r llinell 'Diog wrth ddiog a ddwed.' Dyma gynnig y Parch. Dafydd Owen a enillodd iddo farciau llawn:

> Diog wrth ddiog a ddwed
> I wely — fflamio'r waled.

Llunio paladr oedd y dasg nesaf gyda Gwilym Tilsley o dîm Sir Ddinbych a Ronald Griffith o dîm Sir y Fflint yn cystadlu. Dyma gynnig Gwilym Tilsley:

> Bardd ffraeth o hiwmor chwaethus, — lleinw ei swydd
>   Â llawn sêl yn barchus;
> Ym mhob treflan, llan a llys
> Un mawr yw William Morris.

Dyma gynnig Ronald Griffith:

> Yn grand mewn archdderwyddol grys — ei rin
>   Fardd-frenin sy'n hysbys;
> Ym mhob treflan, llan a llys
> Un mawr yw William Morris.

Yn ei feirniadaeth dywedodd Rolant fod paladr Tilsley yn fwy barddonol o lawer, ond yr oedd eiddo Ronald Griffith yn fwy 'crysol', a chredai'r beirniad fod rhaid gwobrwyo newydd-deb!

Cafodd Henry Brooke gryn sylw ac fe fu'n gyff gwawd i'r beirdd drwy gydol yr wythnos. Fel Gweinidog dros Faterion Cymreig yr oedd at ei gorn gwddw yn Nhryweryn, ac fe fynnai'r beirniad iddo aros yn yr arena. Mewn gornest rhwng Sir Ddinbych a thîm 'Pawb Arall' gofynnodd am gwpled yn cynnwys 'Tryweryn', ac meddai Bob Lloyd (Llwyd o'r Bryn):

> Bodder yn nŵr Tryweryn
> Henry Brooke, medd Llwyd o'r Bryn.

Rhoes Rolant farciau llawn i'r gŵr o Gefnddwysarn am gwpled ardderchog ac amserol iawn yn cyfleu teimladau'r genedl ac yn enwi'r Gweinidog dros Faterion Lloegr yng Nghymru!

Aelod o dîm 'Pawb Arall' oedd Llwyd o'r Bryn, gan

fod y tîm o'r de a ddylasai gystadlu â thîm Sir Ddinbych,
heb ymddangos.

Ar gyfer y gystadleuaeth olaf gosododd Rolant baladr
i'r beirdd i'w gwblhau yn englyn:

> Yr oedd mawredd a miri — a helynt
> A hwyl yn Llangefni.

Dyma Bryn Williams o dîm 'Pawb Arall':

> Yr oedd mawredd a miri — a helynt
> A hwyl yn Llangefni,
> Rhoddi her beirdd i Harri,
> Rhoi Brooke — dyna lwc — dan li.

Hugh Roberts a gynrychiolai dîm Sir Ddinbych gyda'r
ymgais hon:

> Yr oedd mawredd a miri — a helynt
> A hwyl yn Llangefni;
> Cam â'n braint gweld Brooke mewn bri
> Er y Blaid a'r bwledi.

Yn ei feirniadaeth dywedodd Rolant, mor sobr â sant,
'Dydi'n biti na fasa fo'n dallt Cymraeg, inni gael anfon
y pethau yma ato fo. Ond mae'n rhaid inni ei dderbyn
bellach, beth bynnag a wnawn ni efo fo wedyn.'

Yna, cyhoeddodd y beirniad fod y ddau dîm yn gyfartal
a bu raid cael tasg ychwanegol i dorri'r ddadl, sef englyn
ar y testun 'Bardd yr Haf'.

Dyma englyn Sir Ddinbych:

> Y bardd a welodd harddwch, — a rwymodd
> Ramant mewn prydferthwch;
> Un a'i ddawn yn ddiddanwch,
> Caeth ei air, llefair o'r llwch.

Ac yna englyn 'Tîm Pawb Arall':

> Fardd yr Haf, rhodd yr hufen i'w genedl,
> Yn geinaf rin awen,
> Llewyrch ei wyneb llawen,
> Meistr gŵyl gyda'i annwyl wên.

Dyfarnwyd englyn Sir Ddinbych yn fuddugol ac felly byddent hwy yn wynebu tîm y BBC yn yr ornest derfynol bnawn dydd Iau.

Yn ôl ei arfer, gwahoddodd Rolant y neb a fynnai o'r ġynulleidfa i adrodd eu cyfraniadau. Cafwyd chwerthin ddigon, a'r beirdd fel pe'n cystadlu am y chwerthin mwyaf. Pan sychai'r ffrwd byddai Rolant yn cadw pethau i fynd.

Cododd y Parchedig Berllanydd Owen i gyfrannu i'r diddanwch gyda'i englyn i'r 'Tractor':

> Bachan gwerth chweil am deilo, — er hynny
> Gŵyr hwn beth yw nogio,
> A'r ffarmwr fel gŵr o'i go'
> Yn y domen yn damio.

Aeth y Parchedig yn ei flaen:

> Wedi'r hen uwd gyda'r nos — ac enwyn
> Mewn cunnog ym Mhenrhos,
> Awn y bore heb aros
> I odre'r clawdd i droi'r clos.

Dyma ddedfryd y Prifardd Selwyn Griffith ar Eisteddfod Llangefni 1957: 'Ie, wythnos i'w chofio oedd Prifwyl Llangefni a'r Babell Lên oedd calon yr ŵyl a Rolant oedd brenin y babell.'

Heb yn wybod, yn yr Eisteddfod honno a'i hymrysonau yr heuwyd hedyn y grefft o gadw trefn ar feirdd a diddanu cynulleidfa ym mhen Gerallt Lloyd Owen. Yn y rhaglen 'Portreadau' ar S4C dro'n ôl roedd Gerallt yn dwyn ar gof Eisteddfod 1957 ac, er nad oedd ond deuddeg oed, rhyfeddai'r crwt o'r Sarnau at y modd meistrolgar y llwyddai Rolant i gyflwyno sylwadau bachog a brathog efo dos iawn o hiwmor. 'Efallai'n wir,' meddai Gerallt, 'fy mod, yn fy isymwybod, wedi seilio fy null o feuryna ar ddull Rolant o Fôn.'

Dyna wythnos nas anghofir!

Dwy Gadair

Fel sawl bardd arall, yr oedd ennill Cadair yr Eisteddfod Genedlaethol yn uchelgais gan Rolant a bu'n cystadlu amdani'n gyson er yn ifanc iawn. Ond, yn 1941 yn Hen Golwyn yr enillodd am y tro cyntaf. Er gwaethaf y rhyfel, fe drefnwyd Gŵyl dridiau mewn neuadd fechan a'i galw'n 'Eisteddfod Lenyddol Genedlaethol Cymru'. Yn gwbl nodweddiadol o'r cyfnod bu raid i'r eisteddfodwyr giwio i gael mynediad i seremoni'r Cadeirio. Yr oedd y Prifardd Selwyn Griffith yno yn blentyn yn llaw ei fam wrth ddrws y neuadd gydag addewid y caent fynd i mewn os deuai rhywun allan. Ond pwy fyth a ddeuai allan ar ôl bod mor ffodus â chael mynediad?

Galwodd yr Archdderwydd Crwys ar i 'Syml(2)' sefyll ar ei draed ar ganiad y Corn Gwlad. Roedd awdl arall gyda'r ffugenw 'Syml' yn y gystadleuaeth. Atseiniai'r corn yn uwch nag arfer rhwng y muriau trwchus a safodd Rolant yn fuddugoliaethus. Daeth dau fardd i'w arwain i'r llwyfan cyfyng. Cyn cyrraedd y llwyfan hwnnw clywyd sibrwd hyglyw o'r gynulleidfa, 'Da iawn yr hen Langefni' gan neb llai na Lloyd George a'i allu rhyfeddol i gofio pobl. Ond doedd yr un gadair ar y llwyfan. Yn ystod y seremoni, fodd bynnag, fe ddangoswyd cadair arian fechan i'r gynulleidfa — cadair fenthyg. Yn ôl Cynan, yr oedd cadair arian yn symbol o'r hen oesoedd. Fe gâi'r telynor buddugol delyn arian; yna, yr un modd, fe gâi'r canwr buddugol dafod arian, ac yn naturiol cadair arian fyddai gwobr y bardd buddugol. Felly, daeth Rolant adref o Hen Golwyn heb gadair!

Cyn yr eisteddfod, derbyniodd lythyr gan D. R. Hughes, Ysgrifennydd y Pwyllgor Gwaith, i'w hysbysu o'u penbleth. Gan fod gofaint arian yn brin, fel pob crefftwr arall yn ystod rhyfel, nid oedd gwneuthurwyr y gadair arian yn medru cadw at eu hamser. Yr oedd pris arian wedi codi'n sylweddol ers blwyddyn a hwythau heb wneud lwfans ar gyfer hynny ac yr oedd treth bwrcas ar ddefnyddiau wedi codi'n aruthrol hefyd. Dan yr amgylchiadau, doedd dim amdani ond benthyca'r gadair arian. Ofnai'r Pwyllgor hefyd na chaent eu rhyddhau o'r archeb gan y gwneuthurwyr. Yn y llythyr, gofynnwyd i'r bardd a fyddai ef yn fodlon derbyn yr arian a neilltuwyd — pum punt ar hugain — ac iddo yntau bwrcasu cadair gan saer gartref.

Yn ei ateb i'r Pwyllgor, derbyniodd Rolant yr awgrym iddo ef gael cadair o'i ddewis ei hun — gwaith G. O. Jones, saer o Langefni. Rhoes hefyd gyngor cyfreithiol i'r Pwyllgor (am ddim!) yn eu sicrhau na allai'r gwneuthurwyr eu cadw at yr archeb. Cynghorodd hwy i ysgrifennu'n ddi-oed at y gwneuthurwyr yn dirymu'r archeb.

Y beirniaid oedd J. Lloyd-Jones, Edgar Phillips a T. H. Parry-Williams. Yn anffodus iawn yng ngolwg Rolant, doedd ei arwr T. H. Parry-Williams ddim yn cytuno â'i gyd-feirniaid ei fod yn deilwng o'r gadair. Yn wir, doedd o ddim o'r farn y dylid cadeirio yr un o'r tri ar ddeg a gystadlodd. Sut bynnag am hynny, gwobrwywyd Rolant â'r gadair fechan fenthyg am awdl ar y testun 'Hydref'.

Adlewyrchai'r awdl ryw hiraeth am y nefoedd — 'y dyffryn tawel' — a ddeuai yng nghyni'r rhyfel. Yn ôl J. Lloyd-Jones, 'Awdl grefyddol ydyw, ac mewn ymdriniaeth Gatholig â'r prif syniad sydd ynddi, y mae lle naturiol i Frenhines y Nef, y Wyry Fendigaid, y Fam

Ofidus, a Mam Tosturi . . . Credaf fod ar y gân nodau dychymyg byw, grym a hyder dawn, a medr celfyddyd.' Dywed Edgar Phillips fod i'r awdl 'lawer o wreiddioldeb a thinc gyfriniol na chlywir mohoni'n rhy fynych ym marddoniaeth Cymru heddiw, heb sôn am geinder a newydd-deb mewn llawer rhan . . .'

Er nad yw'n cytuno â'i gyd-feirniaid, gwêl T. H. Parry-Williams y bardd yn agor ei awdl yn 'obeithiol a hyderus', ac wrth drafod diwedd y gerdd mae'n cyfeirio at 'ddarn rhagorol sy'n rhyw fath o fyfyr neu ymleferydd ynghylch y tebygrwydd rhwng tymor dyn a thymor y flwyddyn.' Serch hynny, nid yw'r awdl 'fel cyfanwaith synwyradwy ar y testun' yn ei fodloni.

Sut bynnag, fe gadeiriwyd Rolant a chafodd gadair dderw o waith un o seiri Môn. Bu seremoni gadeirio gartref yn Llangefni hefyd. Ar Fedi'r degfed 1941 fe drefnodd Gorsedd Beirdd Môn gyfarfod cyhoeddus yn Llangefni i roi croeso'r dref i Rolant ar ennill y gadair ac i Myfyr Môn ar ennill am dri englyn coffa. Daeth tyrfa luosog iawn i'r ail gadeirio. Llywyddwyd y cyfarfod gan H. Llywelyn Hughes, Cadeirydd y Cyngor Tref, ac arweiniwyd gan Caerwyn. Cyfeiliwyd gan Delynores Gwyngyll. Yr oedd anerchiadau'r tri siaradwr yn llawn canmoliaeth — John Griffith Jones, Ysgol Penrallt; Megan Lloyd George A.S. a William Jones, Clerc y Cyngor Sir. Cyfeiriodd y tri gyda chryn falchder a diolch i Rolant am ddod â'r fath fri i Fôn. Cyn hynny, yn Eisteddfod Genedlaethol Caernarfon yn 1862 yr enillwyd y gadair gan fardd o'r ynys, a Hwfa Môn oedd hwnnw.

Cafwyd eitemau safonol gan artistiaid o'r sir. Charles Williams, Llangaffo a Myra Pritchard oedd yr unawdwyr, gyda Prydderch Williams, Tynygongl yn canu penillion a W. H. Roberts, Niwbwrch yn adrodd. Wedi'r cyngerdd, neilltuwyd gweddill y cyfarfod i seremoni'r cadeirio dan ofal Gorsedd Beirdd Môn gyda John Owen Bodffordd, y Derwydd Gweinyddol, yn llywyddu'r ddefod, a'r

Cofiadur Dyfnan wrth law. Eisteddodd y bardd ar ei gadair newydd. Darllenwyd rhannau o'r awdl, yn afaelgar, gan Emyr Jones, Y Wigoedd, Rhoscefn-hir a chyflwynodd y beirdd eu cyfarchion i'r Prifardd.

Dyma gyfarchiad Eos Alaw, sy'n cyfeirio at yr anghytundeb ymysg y beirniaid:

> Haeddfawr arwr Eisteddfod yw Rolant,
> Gŵr hwyliog disorod:
> Dau o'i du oedd wedi dod
> Ac un o nyth cacynod.

Yr oedd cryn falchder yng nghyfarchion John Owen, Bodffordd, sef un o'i athrawon barddol cyntaf:

> A Rolant yn yr heulwen — yn ei rwysg
> A than rym yr Awen,
> Heddiw llu o feirdd llawen
> Mwy a ddwed — 'Bydded yn ben'.

> Ei lachar gadair arian a welwn
> Yn olud ei drigfan,
> A theg yw cyfoeth ei gân
> O rywiog olau'r huan.

> Uwch a mwy yw'r Cylch ym Môn; — uchel iawn
> Yw ei chlod yr awron,
> A Rolant ar awelon
> Iach y dydd yn uwch ei dôn.

Ar gais ei hen brifathro, John Griffith Jones, Ysgol Penrallt, fe gytunodd Rolant i ysgrifennu esboniad ar yr awdl yn *Y Llan*. Ni fu erioed athro balchach o ddisgybl na John G. Jones. Yn wir, fe gydnebydd Rolant na fyddai fyth yn cytuno i ysgrifennu crynodeb o'i awdl i neb ond o barch i'w hen athro ffyddlon a charedig. 'Nid yn siŵr i foddio cywreinrwydd beirniaid a darllenwyr barddoniaeth yr ysgrifennaf,' meddai.

Yr oedd yn ymwybodol fod rhai'n cael yr awdl yn dywyll, ac meddai, 'Hwyrach ei bod felly i'r sawl sy'n dioddef oddi wrth ddiogi meddyliol a'r sawl na all ymroddi i fyfyrdod. Dyna roi'r beirniaid yn eu lle.'

Dyma'i grynodeb o'r awdl:

Bwriedais i'r awdl fod yn gyfrin ac yn grefyddol. Catholigwr a sieryd ynddi a thry ei feddwl ogylch y byd, neu'r anialwch y cyfeirir ato yn y gerdd; myfyria am ddyffryn dirgel, sef glyn cysgod angau; yng ngweddnewidiad natur gyda'r hydref ni wêl ddim ond angau Crist, ei ddafnau gwaed a'i ddioddefaint; gyda thawelwch a thristwch y tymor tyf arno yr ymwybod o hiraeth ac ing ofnadwy y Wyry sanctaidd ym merthyrdod y Mab; gwêl y Mab yn concro angau ac yn goleuo nos y bedd; yng Nghrist tyf y saint yn feistri angau ac yn etifeddion yr addewid — hwy yw blaenffrwyth yr atgyfodiad er eu holl bechu, a hwy hefyd yw gorchfygwyr yr anialwch.

Carai y rhai gynt sôn am ddyffryn angau fel man dychrynllyd, ond i'r saint 'dyffryn dirgel' yn llawn tawelwch yw, a thebyg yw i ddyffrynnoedd hardd daear. Felly yr agorir yr awdl gyda disgrifiad byr o'r dyffryn. Drwy eilun-addoliaeth a phechod tyfodd ofn y dyffryn ar y ddynoliaeth ac aeth yn dir hydrefol iddi. Yr oedd cysgod croes y Mab beunydd yn disgyn ar draws ei llwybr, felly hefyd ddioddefaint ei Fam. Ar ei thaith rhwng canwyllbrennau'r allorau, dechreuodd amau'r Iesu, canys myfyrdod daearol oedd ganddi. Ond nid yw'r saint yn amau uchel dras y Mab, a'i ddyfod o Ddafydd i arglwyddiaethu ar angau a bedd. Nid yw dail hydref i'r saint yn ddim ond dafnau gwaed y Mab gynt; lliw ei wallt yw'r mwyar a gwrid ei groen yw'r dail melyn. Yn wir, y mae'r ddaear i gyd yn llafar o Grist ac o'i Fam, a doed diwedd einioes a diwedd byd, erys y gobaith tragwyddol am wynfyd a bywyd llawnach yn yr Hafan Ddymunol; try hynny'n sicrwydd ym meddwl y sawl a gredo ac nid yw'r broses o farw yn ddim ond mordaith deg i'r gwanwyn gwell y tu draw i gloddiau'r bedd.

Dyna amlinelliad bras iawn o'r awdl. Hwyrach na fodlonir llawer ganddo ond cofier nad rhyw gatalogwr arwerthiannol yw'r bardd, eithr yn hytrach gweledydd a math o feddyliwr awgrymog.

Pa esboniad gwell nag eiddo'r awdur ei hunan i'n

harwain i'r 'Hafan Ddymunol'? Ond cyn ei farw mynnodd Rolant ailwampio'r awdl. Darllenodd hi ar ei newydd wedd yn y Clwb Gwerin yn Llangefni ac fe'i cyhoeddwyd yn *Yr Anwylyd a Cherddi Eraill.*

Enillodd ei ail gadair yn Eisteddfod Dolgellau 1949 mewn amgylchiadau pur wahanol i Eisteddfod Hen Golwyn. Cyfeiriai'r Wasg at Eisteddfod Dolgellau fel y 'Brifwyl a blesiodd bawb'. Bu yno gynifer â chan mil a deugain o bobl a gwnaed elw o bum mil dau gant o bunnoedd. Yr oedd y tywydd yn berffaith ac awyrgylch y fro yn gwbl Gymreig.

Yn syth ar ôl gweld testun yr awdl ar gyfer Dolgellau ymroes Rolant i fyfyrdod nos a dydd ar y testun 'Y Graig'. Enciliodd i gael llonydd a thawelwch ac i wrando ar sŵn y môr yn crafu'r creigiau. Fe glywai sŵn y môr o'i gartref ym Mhorth Amlwch yn enwedig pan fyddai'r gwynt o'r gogledd. Torrai'r môr yn ewyn gwyn yng nghilfachau'r graig fel llew rhuadwy mewn llyffetheiriau. Ond drannoeth pob storm arhosai'r graig yn gadarn i sychu ei thraed yn yr haul braf. Bu Rolant fyw trwy gydol gaeaf 1948 yn awyrgylch y môr tra'n cyfansoddi'r awdl. Ymgollodd yn llwyr yn ei destun. Gwelai'r 'graig' ym mhobman, teimlai ei chadernid hen yn herio pob bygythiad a chlywai ymchwydd y gwynt yn gwylltio'r môr. Yr oedd yn ymwybodol iawn fod yr awdl hon yn gwbl wahanol i ddim arall a gyfansoddodd erioed. Teimlai fod yma ryw brofiad mawr a chymhleth wedi canfod cyfrwng o'r diwedd. Gofynnodd Selwyn Griffith iddo'n ddiweddarach pa bryd yr oedd yn ymwybodol ei fod wedi ennill y gadair yn Nolgellau. Atebodd yn gwbl ddibetrus, 'Pan ollyngais hi i'r Blwch Post.' Nid rhyfedd chwaith i un o'r beirniaid — Gwyndaf — ddweud ' . . . yr ydym yng nghwmni bardd mawr.'

Tra oedd Rolant yn distaw gyfansoddi ei awdl — fel aderyn yn gwneud ei nyth — yn ddiarwybod iddo roedd Marchogion y Ford Gron yn trefnu un o'u tripiau haf.

Ar Chwefror 11, 1949 penderfynwyd ar drip i'r Eisteddfod Genedlaethol yn Nolgellau ddydd Iau y Cadeirio! Cytunodd yr Ysgrifennydd ar fws Crosville am bymtheg punt o Amlwch i Ddolgellau. Gadawodd y bws sgwâr Dinorben Amlwch yn brydlon am wyth o'r gloch ar fore braf. Yr oedd Rolant yn ddistawach nag arfer. Ar ddamwain, dywedodd un o'r Marchogion rhwng difri a chwarae, 'Beth wnawn ni os digwydd i Rolant ennill y gadair? Sut y down ni â hi adref?' Teimlai Jennie ei hwyneb yn gwrido a theimlai Rolant yn bur anghyfforddus. Llanwodd ei getyn yn bwyllog gan edrych yn syn tua nenfwd y bws.

Yr oedd trefniant i aros am baned ym Mhorthmadog a llwyddodd Rolant a Jennie i golli'r Marchogion ymhlith ymwelwyr haf y dref honno. Mwynhaodd y ddau baned o goffi mewn caffi bach digon disylw lle'r ailddarllenodd Rolant y llythyr a dderbyniodd yn ei hysbysu o'r newydd. Fel yr agosâi'r amser teimlai'r ddau yn amheus ac ansicr. Tybed ai breuddwyd oedd y cwbl? Darllenodd y ddau gynnwys y llythyr yn ddistaw:

Penmaen
Porthaethwy
Anglesey
25.7.49

F'annwyl gyfaill,
Rhaid imi gael ychwanegu fy llawenydd personol a fy llongyfarchiadau, nid yn unig ar y Gadair, ond ar yr Awdl ragorol a ganwyd gennych. Ardderchog!

Yn awr dyma fi wedi chwarae'r gêm yn deg â chwi trwy roi wythnos a rhagor o rybudd — yn lle'r hen drefn yn fud. Yr ydych chwithau fel cyfreithiwr yn hen gyfarwydd â chadw cyfrinachau mawr tan glo. Ac os â'r gyfrinach hon allan i rywun, fe dorrir pennau y tri ysgrifennydd am ymddiried y peth i'r bardd mor fuan. Does neb arall yn gwybod.

A gawn ni ein pedwar gyda'n gilydd — y tri ysgrifennydd

a chwithau — brofi i'r byd y gellir am unwaith gadeirio'r bardd, a neb arall yn gwybod ymlaen llaw pwy a enillodd?

Yr eiddoch yn bur iawn,

Cynan

Daeth pawb yn ôl i'r bws a thestun y sgwrs heb newid — 'Sut y down ni â'r gadair adref?' Troes Rolant at y Marchogion eraill ac meddai, 'Wyddoch chwi pwy welais i ym Mhorthmadog?' Cyn i neb gael cyfle i ddyfalu pwy, atebodd, 'Herman Jones, ac mae o'n un o'r Cyflwynfeirdd y pnawn 'ma, ac mae o wedi fy sicrhau mai Dafydd Jones, Ffair-rhos sy'n cael ei gadeirio.' Llyncwyd y stori fel y gwir a dim ond y gwir! Cafodd y Gadair lonydd am weddill y daith.

Ynghanol y tyrfaoedd o ugain mil ar faes llychlyd yr Eisteddfod diflannodd y Marchogion gan adael Rolant a'i briod i roi eu sylw eto i'w strategaeth. Yn ddiddorol iawn, yn ystod gorymdaith yr Orsedd gwelwyd iâr fawr frown o waedoliaeth y Leghorn yn gwibio'n ddryslyd ymhlith yr eisteddfodwyr. Fel pe wedi synhwyro rhyw drefnusrwydd diogel ymunodd yr iâr yn dalog yn yr orymdaith. Cerddodd wrth ochr Wil Ifan fel pe'n credu fod y rhain, yn eu gynau llaes, o dras wahanol i fodau dynol eraill. Enillodd yr iâr honno enw barddol iddi'i hun, sef 'Merch Ceiliog Meirionnydd'.

Ond doedd dim yn ddigri i Rolant y diwrnod hwnnw. Aeth Jennie ac yntau i mewn i'r babell fawr wag. Eisteddodd Rolant yng nghanol y llawr er mwyn dadluddedu ac ymlacio tipyn ond anelodd hen gymeriad gwerinol yr olwg yn syth ato ac eistedd wrth ei ochr er bod yno gannoedd o gadeiriau gwag. Dechreuodd sgwrsio'n hamddenol fel pe'n adnabod Rolant erioed. Yn y man, llifai'r bobl i'r babell ac roedd sŵn a symud ar y llwyfan ond nid oedd dim a dynnai sylw'r dyn diarth. O ganol mân siarad am y tywydd gofynnodd: 'Pwy sydd am ennill y Gadair tybed?' ''Wn i ddim wir,' meddai

Rolant yn gwbl ddidaro, 'a dydi o ddim gwahaniaeth gen i chwaith. Dydw i'n lecio dim ar farddoniaeth, canu ydi 'mhethau i.' Ond doedd hynny ddim digon i droi sylw'r dieithryn oddi ar y Gadair. 'Ylwch,' meddai, 'pan fyddan nhw'n galw ar y bardd i sefyll, edrychwch chi ffordd acw ac mi edrycha innau ffordd yma i ni gael gweld yn ochr pa un ohonon ni y bydd o.' Er mwyn cau ceg y dyn diollwng cytunodd Rolant i chwarae'r gêm newydd.

Wedi'r feirniadaeth, galwodd Wil Ifan ar 'Coed y Gell' i sefyll ar ganiad y Corn Gwlad. Yr oedd partner newydd Rolant yn llygaid i gyd tra'n chwilio am rywun yn sefyll. Chwiliodd ei diriogaeth unwaith eto ond doedd dim golwg o neb. Trodd at Rolant ac, yn ei ddychryn, ebychodd yn uchel, 'Arglwydd annwyl, y chi ydi o! Hwdwch, dyma ichi ellygan i wlychu'ch ceg cyn mynd i fan'cw.' Ni fu'r dieithryn parablus hwnnw erioed o'r blaen mor agos at fardd buddugol y Genedlaethol!

Hebryngwyd Rolant yn araf ac urddasol i'r llwyfan lliwgar. Yn ei glustiau, yr oedd sŵn curo dwylo a sŵn rhyfeddod bodlon y dorf enfawr fel sŵn y môr cyn curo creigiau gogledd Môn. Eisteddodd yn y gadair fwyaf a'r harddaf yr eisteddodd ynddi erioed — mor wahanol i Hen Golwyn wyth mlynedd ynghynt!

Yr oedd llawer mwy i'r gadair neilltuol honno na 'Made in Hong Kong'. Cymdeithas Gymraeg Hong Kong a'i cyflwynodd i'r Eisteddfod, ac fe wnaed hynny'n swyddogol gan gymeriad diddorol iawn o'r enw John Robert Jones. Yr oedd yn ymwelydd cyson â'r Eisteddfod a gwelid ef ar y llwyfan ymhlith y Cymry o Tsieina yn seremoni'r Cymry ar Wasgar. Y tro hwn, yn Nolgellau, fe drawodd nodyn poblogaidd iawn yn ei araith pan ddywedodd fod y Ddraig Goch yn fwy anrhydeddus na'r 'Union Jack' yn Sianghai a Hong Kong.

Ond yr oedd llawer mwy i'r cymeriad hwn nag ymddangos yn flynyddol gan ymfalchïo yn ei wreiddiau. Fe anwyd John Robert Jones yn Llanuwchllyn yn 1888 a bu farw yn 1976. Bu am flynyddoedd yn gynghorydd cyfreithiol i Gorfforaeth Fancio Hong Kong a Sianghai ac fe wnâi Lloyd George gryn ddefnydd ohono fel ysbïwr. Rhyfygodd ei fywyd fel ysbïwr ym Moroco ac yn diweddarach yn Rwsia.

Yn ôl Ivor Wynne Jones yn y *Daily Post* (Medi 24, 1998), yng ngwanwyn 1940 fe'i galwyd i Tokyo gan yr Ymerawdwr Hirohito. Ymddiriedodd yr Ymerawdwr iddo neges hynod o bwysig a chyfrinachol i'w dwyn i Brydain. Cynnwys y neges oedd gwahoddiad i lywodraeth Prydain adfer yr hen Gynghrair Eingl-Siapaneaidd a ddibennwyd gan Lundain yn y tridegau. Cyrhaeddodd y negesydd yr Eidal ym Mehefin 1940 a brysiodd i Rufain er mwyn dal y cysylltiad a ddygai'r neges dyngedfennol i Lundain. Ond y noson honno anfonodd Mussolini ei luoedd i dde Ffrainc gan gyhoeddi rhyfel yn erbyn Prydain. Ildiodd Ffrainc ac o ganlyniad nid aeth neges Hirohito ddim pellach na Rhufain. Pe bai'r neges holl-bwysig hon wedi cyrraedd pen ei thaith byddid wedi osgoi'r rhyfel erchyll rhwng Prydain a Siapan yn 1941 ac arbed y fath ddioddefaint i gynifer o bobl. Pwy fyth a gredai, y diwrnod hwnnw yn Eisteddfod Dolgellau, y bu ond y dim i'r dyn bach tawel a diymhongar hwn newid cwrs hanes yr Ail Ryfel Byd. Gwyddai John Robert Jones yn iawn beth oedd ystyr cwestiwn taer Wil Ifan yr Archdderwydd, 'A oes heddwch?' Naw mlynedd ynghynt, methodd ef â chyrraedd ei gynulleidfa gyda'r un cwestiwn. Os oedd Cadair Dolgellau yn un hynod yr oedd y gŵr a'i cyflwynodd yn hynotach fyth.

Ond, er mor hynod oedd cefndir y gadair, seren yr eisteddfod oedd yr awdl a'i henillodd, 'Y Graig'. Ymgeisiodd ugain, ond, yn ôl T. H. Parry-Williams, rhyw hanner dwsin oedd o fewn terfynau gobaith. Yr oedd y tri beirniad — T. H. Parry-Williams, Dewi Emrys a Gwyndaf Evans — yn unfrydol fod Awdl 'Coed y Gell' yn gwir deilyngu'r gadair. Yr oedd y ffaith fod ei arwr

T. H. Parry-Williams yn cytuno ac yn cydnabod bod yr awdl 'yn cynhyrchu hud a chyfaredd' yn golygu'r cwbl i Rolant. Teimlai Gwyndaf ei fod yng nghwmni bardd mawr ac wrth ddarllen yr awdl drosodd a throsodd yr oedd yn gafael yn dynnach bob tro.

Yn rhyfedd iawn, cyfaill a chyd-ddisgybl ysgol ac, yn wir, cymydog iddo yn Llaneilian oedd Bardd y Goron yn Nolgellau, sef John Eilian.

Yn naturiol, yr oedd achlysur o'r fath yn gofyn am ddathliad teilwng ym Môn. I dref Amlwch, y tro hwn, y daeth yr anrhydedd i drefnu'r croeso i'r beirdd. Ar y pumed o Awst 1949 fe gyfarfu'r Ford Gron yn y Tegell Copr i wneud trefniadau i anrhydeddu'r ddau. Pasiwyd i gydweithredu â Chyngor Tref Amlwch gyda chynrychiolaeth o'r Ford Gron i gyfarfod â'r Cyngor.

Yr oedd Neuadd y Dref yn orlawn ar nos Fercher 24 Awst pan estynnwyd 'Croeso Bro i'w dau Brifardd'. Anerchwyd y cyfarfod gan Gadeirydd Cyngor Tref Amlwch, W. J. Williams a chan H. B. Jones, Cadeirydd Cyngor Tref Llangefni. Rhoes y Parch. R. Maurice Williams gainc ar y delyn a rhoes R. H. Jones, Pen-y-sarn air am yr Awdl. Cafwyd hefyd anerchiad ar ran y Ford Gron gan Thomas Arthur Jones a Percy Ogwen Jones. Ni welwyd noson debyg i hon erioed yn nhref Amlwch — anrhydeddu dau Brifardd o'r un cylch wedi'r un Eisteddfod.

Yng nghyfarfod y Ford Gron ar 7 Hydref 1949 gofynnwyd i Rolant annerch y Marchogion ar ei awdl fuddugol.

Agorodd yr anerchiad trwy ddweud mai un o brif ddibenion barddoniaeth yw rhybuddio dynoliaeth rhag y peryglon sydd o'i blaen. Credai ei bod hi'n hen bryd rhybuddio Dyn, ac un ffordd o wneud hynny yw dangos ei fychander a'i eiddilwch a chodi cywilydd arno.

Dengys 'Y Graig' ei bod hi mewn cydgord â'r cread ac felly gall ymffrostio mewn sawl goruchafiaeth. Yn gyntaf, ceir ei goruchafiaeth ar amser —

Hen wyf a chadarn hefyd
Hŷn na balch awenau byd.

Yn ail, ei goruchafiaeth ar ddynion fel môr-ladron, er bod yma awgrym o anfarwoldeb yr enaid.

Yn drydydd, goruchafiaeth y Graig ar y tymhorau —

Druan o'r haf a'i feddal betalau,
Rhyw ias ddiaros yw hedd ei oriau.

Yn bedwerydd, goruchafiaeth y Graig ar y rhai hynny sydd yn ei threisio hi —

O! ddiangerdd oferddyn, pa awen
O'th epäol briddyn,
A roi imi fy rhwymyn
O heli teg a niwl tyn?

Yna ceir gwahoddiad y Graig i ddyn i weld drosto'i hun pwy yw'r meistr yn y pen draw. Yn ogystal, ceisiai roddi rhyw ymdeimlad o golled yn y diffyg artistri mewn llawer o gapeli heddiw —

A dawodd offer diwyd artistri y meistri mud?
Ar wyll llieiniau'r allor a'r organ lle cân y côr
Erys hud amhrisiadwy pethau hen eu campwaith hwy.

Cydnabu'r bardd mai'r pennill hwn a roes fwyaf o fwynhad iddo:

Gweithient eu taerni Gothig i blisgen hen dalcen dig:
A'r maen, gan hir amynedd y trin, fel mwslin a medd.
Cymhlethwyd eu breuddwyd brau trwy ei emog batrymau.

Yr oedd hon yn noson neilltuol yn hanes y Ford Gron. Bu'r Marchogion yn seiadu ynghylch athroniaeth y bardd ac yn diwinydda uwchben ambell awgrym beiddgar. Credai Percy Ogwen, wrth gloi'r drafodaeth, fod yn yr awdl hon fwy o broffwyd nag o fardd, er bod y ddau mor debyg i'w gilydd. Nodweddir y ddau â rhyw ecstasi.

Cyfeirir yn aml at Morswyn, awdur yr emyn adnabyddus 'Craig yr Oesoedd', fel emynydd 'yr un emyn'. Yn sicr nid bardd un gerdd oedd Rolant ond mae'n wir dweud mai fel 'Bardd y Graig' yr adwaenid ef. Fe soniwyd mwy am 'Y Graig' mewn teyrngedau iddo ar ddydd ei angladd nag am unrhyw gerdd arall o'i eiddo. Ar derfyn y gwasanaeth yng nghapel Penuel Llangefni, 12 Rhagfyr 1962, fe ganwyd emyn mawr Morswyn gyda rhyw orfoledd neilltuol. Ei gyfaill, Y Parchedig Huw Llewelyn Williams, Y Fali a derfynai'r oedfa goffa honno ond yn lle cyhoeddi'r fendith apostolaidd, fel arfer, gofynnodd Huw i'r gynulleidfa adrodd y pennill adnabyddus efo'i gilydd yn dawel wrth i'r arch gael ei chludo o'r capel. Tystia pawb a oedd yno na chlywyd erioed ddiweddglo mwy gafaelgar i wasanaeth angladdol:

> Arglwydd Iesu, arwain f'enaid
>   At y Graig sydd uwch na mi,
> Craig safadwy mewn tymhestloedd,
>   Craig a ddeil yng ngrym y lli;
> Llechu wnaf yng Nghraig yr Oesoedd,
>   Deued dilyw, deued tân,
> A phan chwalo'r greadigaeth,
>   Craig yr Oesoedd fydd fy nghân.

Dewis Morfudd

Nid pob dydd y mae rhywun yn cael cyfle i fynd drwy lond cist o drysorau. Felly y teimlais i pan gynigiodd fy mam nid un ond dau lond cês o bapurau i Bob fy ngŵr a minnau edrych drwyddynt. Maent yn drysorau i mi am eu bod yn llawn hyd yr ymylon o bapurau yn ymwneud â'm tad, yn waith heb ei gyhoeddi ac yn dudalennau o bapurau newydd yn perthyn i'r gorffennol. Cadwodd fy mam y cyfan yn ofalus ar hyd y blynyddoedd. Cawsom oriau o fwynhad yn darllen drwy hen rifynnau o'r *Clorianydd, Herald Môn,* y *Daily Post, Seren Cymru* a'r *Faner.* Ceir ynddynt adroddiadau am eisteddfodau y bu'n fuddugol ynddynt, colofnau barddol a cherddi i ffrindiau a chydnabod.

Daethom hefyd ar draws dyddiadur am y flwyddyn 1931 pan oedd yn ddwy ar hugain oed. Ar y chweched ar hugain o Chwefror cofnododd: 'Cyrraedd 22ain oed heddiw, ac yn teimlo'n ddyn rhywsut yn awr'. Mae yma hefyd gofnod am y wefr a deimlodd o glywed mai y fo oedd enillydd Cadair Eisteddfod Môn y flwyddyn honno, a chyfeiriadau at sefydlu Cangen Môn o Blaid Cymru. Ef oedd Ysgrifennydd cyntaf y Blaid ar dir 'Yr Hen Fam'.

Ymysg y papurau mae hefyd lythyrau di-rif, rhai yn ei longyfarch ar ennill cadair arbennig neu gyflawni rhyw orchest eisteddfodol arall a rhai yn ei gyfarch ar achlysuron o bwys fel ei briodas. Yr hyn a roes y wefr fwyaf oll i ni fodd bynnag oedd y cerddi — rhai yn ei lawysgrifen ei hun — nad oeddent wedi eu cynnwys yn yr un o'i gyfrolau. Nid oes angen dweud bod gwên a deigryn yn chwarae mig â'i gilydd wrth i'r atgofion lifo'n ôl. Wrth ddarllen sylwais fod amryw wedi eu llunio er cof am gyfeillion ymadawedig. Yn ôl y drefn, byddai fy nhad yn aml yn cael cais gan deulu trallodus i ysgrifennu ar gyfer yr achlysur. Cofia fy mam fod hyn yn digwydd yn gyson ond, serch hynny, ni fyddai ef byth yn bodloni ar rywbeth ffwrdd-â-hi. Byddai graen ar bob cerdd, ni waeth pwy neu beth a fyddai'r gwrthrych.

Dewisais rai o'i gerddi yr hoffwn eu gweld yn dod i olau dydd unwaith eto, rhai o'r cyfnod cynnar dibrofiad a rhai o'r dyddiau diweddarach. Mae llawer mwy yn aros, mwy nag sy'n bosib' eu cynnwys o fewn gofod y bennod hon. Gan ei bod yn ganol Medi 1998 arnaf yn ysgrifennu hyn, a'r glaw a'r gwynt yn argoeli bod hydref wrth y drws, y mae'r gerdd 'Haf Bach Mihangel' yn amserol iawn ar ôl yr haf gwael a gawsom:

> Heulwen ni chaed eleni,
> Adeg ni bu i fedi;
> Gwaneifiau'n drist hyd lawr, a cherch
> Ar lannerch heb ei lenwi.
>
> Ein hiraeth wrth fyfyrio
> Uwch hanes bro a'i chwyno
> Yw am haf bach i lenwi'r byd
> Â'i olud cyn ffarwelio.
>
> Daw wedyn sicrwydd Duwdod
> I wŷr sydd yn amharod,
> Wrth weld yr Iôr ar wyneb dwl
> Y cwmwl yn rhoi cymod.

Henffych Haf Bach Mihangel;
Os daw dy fendith dawel
Bydd 'sgubau'r ŷd i gyd yn gwau
Dyrïau lond yr awel.

Cofiaf pan oeddwn yn blentyn fel y byddwn wrth fy
modd yn mynd am dro hefo fy nhad a'r hen gi defaid
i Nant y Pandy gan amlaf. Bryd hynny rhyfeddwn at ei
allu i adnabod y gwahanol adar wrth eu cân. Ambell dro,
doedd wiw i mi ddweud gair o'm pen rhag torri ar ei
fyfyrdodau, am mai wrth fynd am dro fel hyn y byddai'n
barddoni. Er bod un cywydd byr i Nant y Pandy wedi
ei gynnwys yn *Yr Anwylyd a Cherddi Eraill*, roedd ganddo
gerdd gynharach i'r rhan hon o dref Llangefni a'i swynai
mor fawr. Er nad yw mor goeth â'r cywydd mae'n apelio
mwy ataf oherwydd fy mod yn clywed llais fy nhad yn
canu drwyddi:

Nant y Pandy (1)
(Detholiad)

Mor felys rhodio gyda'r nos
    O drwst y Rhos a'i firi,
A gwrando cân rhyw eos lân
    Ar gangen uwch y Cefni.
Mor bêr yw sawr y blodau cu
    Sydd ar bob tu yn tyfu;
Rhyw nefoedd fwyn yn llawn o swyn
    I mi yw Nant y Pandy.

'Rwy'n nabod cân pob mwyalch lân
    Sydd yn y coed yn cuddio,
A'r wennol lon, ddaeth dros y don
    I edrych sut 'rwy'n tario.
Wrth grwydro'r llwybr derfyn dydd
    A'm bron yn rhydd ac iachus,
'Rwy'n cyfri'n hawdd ar wrych a chlawdd
    Bob nyth sydd yno'n daclus.

Tra byddwyf byw mi rodia'n rhydd
  Hyd iraidd rudd y Pandy,
A gwylio wnaf bob hirddydd haf
  Y nant yn mynd i gysgu.
Mor brydferth lliwia Natur dlos
  Fan hyn y rhos a'r lili;
Datguddiad hardd o Dduw fel bardd
  Yw'r Cwm lle rhed y Cefni.

Pan is y briddell huno wnaf
  A'm corffyn claf yn pydru,
Rhyw goflech werdd yn llawn o gerdd
  Uwchben fy medd fydd Pandy;
Pan sango plantos gyda'r nos
  Y briall tlos heb sylwi,
Fe ddeil yr yw yn gofeb fyw
  O'm sedd ger Afon Cefni.

(Mae'n ddiddorol sylwi bod gan fy nhaid, S. P. Jones,
hefyd gerdd i Nant y Pandy — gweler *Awen Môn*. Rhaid
bod y fangre hon wedi ei swyno yntau.)

Am yr un rheswm, hoffwn gynnwys cerdd fach
hiraethus o'i ddyddiau cynnar iawn fel bardd, cerdd i
gofio am hen gi yr oedd yn meddwl y byd ohono:

Hwfa
Bellach ymbalfalaf adref
  Dros Gorn Hir a thrwy Dai Lawr,
Heibio Bronant a Dolfeurig
  Heb gwmpeini'r hen gi mawr.

Dro, ni ddaw i lyfu 'nwylo
  Dafod nad achwynodd glwy,
Na dau lygad i serennu
  Croeso o'r tywyllwch mwy.

Heno bydd fy nwylo'n sychion
  Pan drof adref drwy Dai Lawr,
Ond caf gerdded mewn hyfrydwch
  Yng nghwmpeini'r hen gi mawr.

Fel y sylwch roedd yr hen gi wedi ei enwi ar ôl ei filltir sgwâr ef, Rhostrehwfa, y fangre oedd mor agos at ei galon. Rhoes le arbennig iawn i'r ardal yn ei gerddi cynnar, cerddi coffa am lawer hen ffrind. Ceir sôn ynddynt yn aml am y lleoedd a garai. Dyma enghraifft neu ddwy:

I Gofio Pedwar Cyfaill

Cyrhaeddais yn fore, fore,
  Cyn codi o wlith y maes,
A niwl ar gwfert Dolfeurig
  Yn lliain ewynnog, llaes,
Ac nid oedd llaw i'm croesawu
  Yn nwyster fy henfro gu,
Dim ond yr hen Gefni'n edliw
  Oriau'r mwynderau a fu.

'Roedd heddwch y wawrddydd eglur
  Ar feysydd Cae Garw Fawr,
A chanu'r adar yn dristach
  Yn nhemlau diarffordd y wawr;
Yno yr oedd imi gyfoed
  O linach gwerinwyr cu;
Disgwyliais yn hir ac yn ofer
  Am nad oedd Now yn ei dŷ.

Cerddais â chalon hiraethus
  Hyd Dyddyn Gwynt ar fy nhro;
Gwyddwn fod yno groeso
  I bawb o hogiau y fro;
Ond tawel oedd Coed Plas Uchaf,
  A throstynt alarus hedd;
Ciliodd y cyfarch caredig —
  'Roedd Robin fy ffrind yn ei fedd.

Ochneidiais, ac euthum heibio
  I bersawr y rhos ar fy hynt,
A chlywais yng ngwrychoedd Pisga
  Wylo diddiwedd y gwynt.

Holais am wyneb cynefin,
    Am un a fu'n blentyn Duw,
Ond athrist oedd gwedd Tynllidiart,
    A'r blaenor o dan yr yw.

Wylais am hen lawenydd
    A fu imi ddyddiau'n ôl;
Hwyliais am ardal Bodffordd
    Lle mae gwin ar faes a dôl;
Llafarganai y bröydd
    Salmau'r Mehefin hardd,
A llafarganai y pentref,
    Ond mud ac oer oedd ei fardd.

Tydi, yr angau didostur,
    A'u dygaist o'u hafddydd ir;
Tydi, fedelwr cenhedloedd,
    A'u rhoes yn dy ddieithr dir.
Ond gwn na ddeil dy grafangau
    Eneidiau y meirwon hyn
A bod y ddunos yn olau
    Tu draw i dwllwch y Glyn.

Dof, fe ddof i'r hen gonglau
    Eto ar amal dro
A chaf eu cwmni a'u croeso
    O hyd ar lwybrau fy mro.
A phan ddaw yr alwad olaf
    I minnau i groesi'r lli
Gwn y bydd pedwar cyfaill
    Yn disgwyl amdanaf fi.

Er cof am gyfaill
('Synnwn i ddim nad fy nhaid, tad
fy mam, oedd gwrthrych y gerdd hon)

Ffarwél i Felin Frogwy
   A llwybrau'r maes a'u medd,
Ffarwél i'r llwyn a'r afon
   A'r dolydd llwm eu gwedd;
Yng nghartre'r pererinion
Mae rhyw ddigymar hedd.

Yn iach i hogiau'r pentref
   A'u chwerthin gwledig hwy,
Yn iach i'r plant direidus
   Na theimlodd boen na chlwy;
Yng nghartre'r pererinion
   Caiff gornel glyd o'i blwy.

Caiff bellach hen gwmnïaeth
   Fforddolion gwiw ei fro
A chroeso cysegredig
   Gwerinwyr yn eu gro;
O gartre'r pererinion
   Ni ddychwel ar fyr dro.

Ffarwél i'r pren afalau
   Ac wyneb gweddw'r ardd,
Yn iach i flodau'r eirin
   A'r fedwen ir pan dardd.
Yng nghartre'r pererinion
   Mae bywyd fyth yn hardd.

Ffarwél i risiau'r chwarel
   A llwch y talcen glo;
Yn iach i'r byd a'i bethau
   A'i fyw anhrefnus o;
Yng nghartre'r pererinion
Caiff stelc dan wyrddlas do.

Yng nghartre'r pererinion
Mae'r enaid ar ddi-hun,
A bywyd yn aeddfedu,
A serch rhwng dyn a dyn,
A Duw'n cyfannu'r cread
Â'i galon fawr ei Hun.

Fel y dywedwyd eisoes, byddai'n rhoi o'i orau wrth gyfansoddi, ni waeth pa mor ddistadl oedd y gwrthrych ond, yn naturiol, roedd gwahaniaeth rhwng y cerddi a luniwyd ar gais rhywun a'r farddoniaeth a ddôi'n ddigymell o'r galon. I brofi angerdd ei deimladau ar amgylchiadau felly ni raid ond darllen ei gerdd goffa i'w ewythr, yr ewythr a fu fel tad iddo. Hoffaf y gerdd fach syml hon yn fawr iawn; hoffaf hi'n arbennig oherwydd fy mod yn cofio Taid Cartrefle, fel y galwem ef. Yn ôl fy Modryb Nan, mae'n debyg fy mod wedi ceisio cysuro Nain Cartrefle ar y pryd drwy ddweud, er mawr ddifyrrwch i bawb, nad oedd yn rhaid iddi boeni am Taid oherwydd y buasai Iesu Grist yn 'gneud yn siŵr y buasai'n cael rhywbeth i'w fyta yn y Nefoedd', a 'mod i'n 'clywed sŵn ei draed yn cerdded uwch ein pennau!'

Er Cof am Ewythr
(Detholiad)

I fyny'r lôn y cerddem ni'n
Gymdeithion llon ac iach,
Efô yn hogyn canol oed
A minnau'n blentyn bach.

A llawer sgwrs a llawer strae
Fu rhyngom ni ein dau;
A thrin a thrafod cwrs y byd,
Y medi mawr a'r hau.

'Roedd llaw garedig yn fy llaw
I'm dwyn i ben yr allt,
A bysedd cymwynaswr bro
Yn oedi yn fy ngwallt.

121

Ac ar ei gefn ei offer gwaith
  A ddygai'n sglein i gyd,
Yr un hen arfau ag a gaed
  Ar gefn Gwaredwr byd.

Y dydd o'r blaen wrth wely blin
  Ei gystudd, cadwem oed;
Efô yn blentyn yn y glyn
  A minnau'n gryf ar droed.

Fy llaw yn ei garedig law
  A'i dug i ben yr allt,
Heb falio dim am gwrs y byd
  Na'i bethau ciaidd, hallt.

A daeth yr alwad gyda'r hwyr
  O ryw drugarog dir;
Cydiodd ei offer gwaith ac aeth,
  Ac ni ddaw'n ôl yn hir.

Yr ymwahanu hwn nid yw
  Ond byr a dirgel awr,
A deil melyster hiraeth bron
  I bontio'r adwy fawr.

Hyd lethrau y mynyddoedd llwyd
  Trwy niwl fy nyddiau ffôl
A thros wastadedd môr a maes
  'Rwy'n brysio ar ei ôl.

Bu Taid Cartrefle farw yn saith deg tri mlwydd oed,
a chredaf mai cyfarchiad iddo ef ar gyrraedd ei saith deg
mlwydd oed ydyw'r gerdd fach hoffus hon:

Clywais eich bod cyn falched
  Â cheiliog ffesant yn awr,
A'r Cyngor Plwy wedi pasio
  I'ch gwneuthur yn Faer Tai Lawr.

Dyweded Modryb a fynno
Am fynd i'r Capel yntê,
'Does neb yn gweld oed yr addewid
Heb fyw'n o agos i'w le.

'Rwyf fi'n mynd yn hen gan gloffni
Fel taswn i'n hen erioed,
A chwithau'n mynd yn ieuengach
A sioncach wrth fynd i oed.

Dyweded Modryb a fynno
Am wisgo'n ddel ar y daith,
Mae'n well cyrraedd oed yr addewid
Yn hogyn mewn dillad gwaith.

Ni syrth cysgodion y dyddiau
Tros neb sydd yn berchen ffydd;
A melys fo'r hwyr i chwithau
Wedi pwys a gwres y dydd.

Dyweded Modryb a fynno
Am wendid ac oriau blin,
Mae cyrraedd oed yr addewid
Yn wledd o fara a gwin.

Yn ei ardd y cofiaf Taid Cartrefle, ac yn ei ardd y
byddai fy nhad yn mwynhau treulio llawer o'i amser
hamdden. Hwyrach mai gardd Hafod y Grug a'i
hysbrydolodd i gyfansoddi'r gerdd hon:

Darfu'r dydd pan oedd y dreflan fel gardd
A minnau'n adnabod ei choed;
O stryd i stryd prennau dieithr a dardd,
Heb iddynt draddodiad nac oed.

Ond rhywle yng nghanol y tryblith chwyn
Deil ambell hen foncyff yn ir,
Ei wraidd yn gadarn a'i flodau yn wyn
A'i ddail yn llawn halen y tir.

A sawr y rhosynnau sydd iddynt hwy
A lliw y criafol a'r mes;
Hen goed fy mhlentyndod heb arnynt glwy,
Er cyn drymed y dydd a'i wres.

Tan gysgod y coed cynefin o hyd
Cymunaf o'r bara a'r gwin
A chrwydro'n betrusgar o stryd i stryd
I ymserchu'n y prennau crin.

Neithiwr daeth rhywun fandalaidd i'r ardd
A thorrodd hen gainc a oedd gu;
Cangen o foncyff y gwyddfid a chwardd
Ar lwybrau y dyddiau a fu.

Nid oes a rydd i'm paradwys yn ôl
Un gainc a fo hafal ei rhin;
Y gainc gynefin â stormydd y ddôl,
A chorwyntoedd gaeafau blin.

Ond cangen a ddeil yn wyrdd yn fy nghof
Yw hon, a thros byth hi a dardd;
Caf weld ei blagur lle bynnag y trof,
A'i blodau'n prydferthu fy ngardd.

Ni allaf sôn am gerddi fy nhad (a phwysleisiaf mai sôn amdanynt o safbwynt ei ferch yr wyf, nid beirniad llenyddol o unrhyw fath) heb gyfeirio at ei ffydd fawr fel Cristion a'i gred ddiysgog fod bywyd yr ochr draw i farwolaeth. Daw hynny'n amlwg drosodd a throsodd yn ei gerddi. Er nad oedd yn gapelwr selog ar ôl cyrraedd i oedran gŵr, bu ganddo ddosbarth Ysgol Sul ym Mheniwel am gyfnod; yr oedd yn Gristion i'r carn ac yn Fedyddiwr o argyhoeddiad fel teulu ei dad i gyd. Eglwyswyr mawr oedd teulu ei fam yng Nghemais.

Derbyniai bawb am yr hyn oeddynt, heb farnu neb oherwydd lliw ei groen na'i safle mewn cymdeithas, ond yr oedd yn gas ganddo ragrith. Parchai bobl am eu gonestrwydd cymeriad a'u caredigrwydd at eraill fel yr amlygir yn y gerdd hon:

Y Marchog
(Syr Thomas Jones, Amlwch)

Pwy sy'n dyfod at y tŷ
Efo'i wên a'i eiriau cu,
Ac yn dwyn addfwynder haf
I ystafell wely'r claf?
Dyma'r Marchog, meddai cant,
Dyma'r Doctor, medd y plant.

Pwy a fu i'r hen yn driw
Gan roi eli ar bob briw,
Pwy a fu fel tad caredig
I rai bach y bwthyn gwledig?
Dyma'r Marchog, meddai ffawd,
Dyma'r Doctor, medd y tlawd.

Y mae glewion yn ein gwlad,
Pwy fu ddycnaf yn y gad;
Pwy aeth trosom fel pererin
Ac a swcrodd hawliau gwerin?
Dyma'r Marchog gwych ei ran,
Dyma'r Doctor medd y Llan.

Bydded hir ei dymor ef
A phob awr fel darn o nef,
A marchoged fyth mewn hedd
Gyda'r wawrddydd yn ei wedd,
Ond i'w ffrindiau ym mhob plwy
Doctor fydd y doctor mwy.

A'r soned i John Pierce, ei hen athro ysgol yn Llangefni
ac awdur *Tri mewn Tribini, Dan Lenni'r Nos* ac yn y blaen:

O Iram daeth i gorsydd grug a brwyn,
    A meudwy oedd yn y gwinllannoedd llên,
A'r nymff ddireidus yn ei galon fwyn
    A barai i'r plant chwerthin, ac i'r hen
Lwybro'n ffyddiocach i'r dywyllaf nos.
    Pererogl tir y duwiau, ef a'i llosgodd
Ar seld y plas a'r bwth a chlawdd y rhos;
    A'i fantell serch dros Gymru a ddiosgodd.

Yr hogiau hynny yn yr ysgol ddydd
　Oedd ei gymdeithion, a bu felys iawn
Y cymun rhyngddynt. Carodd fwrlwm rhydd
　Awenau'r hil a drig mewn hesg a chawn.
I Iram aeth yn ôl, a'i lygaid cau
Yn wlyb dros gaethferch ddof dan estron iau.

Ystyrier hefyd y gerdd 'Cymdogion':

I goed y Pencraig daw brain y fro
Yn llwythau blagardlyd ers cyn co';
Pesgant ar gywion fy ieir a'u grawn,
Nid oes a rif eu pechodau'n llawn.

Stelciant ar gyrn y bwthyn a'r plas
I frolio'n bowld o'u triciau a'u tras;
Pob trem ystumddrwg a lysg fel tân
Pan welo gorff, canys brân yw brân.

Ni faliant fawr am eu dull o fyw
Na bas gonfensiynau dynol ryw,
A phwy a'u ceryddai mewn hyn o fyd
Pe baent yn bwyta'i gilydd i gyd?

Onestaf gymdogion, lladratewch,
Fel pob rhyw ladron llawenhewch,
A phwy a faidd atoch estyn bys
Mewn mart neu gapel, mewn siop neu lys?

Caiff brenin ei gwrt a'r frân ei nyth,
A'r un yw'r awel arnynt a chwyth,
A chynt y clybûm gan fy nhaid a'm nain
Mai'r Un sy'n porthi'r brenin a'r brain.

Roedd nid yn unig yn Gristion ond yn Gymro i'r carn
hefyd. Carai'r iaith a'i thraddodiadau a charai'r
Eisteddfod. O blith ei stôr o englynion dyma un i'n Gŵyl
Genedlaethol:

I Senedd gwlad fy nhadau — draw o byrth
　Pedwar ban daw'r llwythau;
Hon yw pen trysor ein pau,
A'r iaith ei thrysor hithau.

Petai fyw heddiw byddai'n falch o weld Senedd (neu Gynulliad fel y'i gelwir) yn cael ei sefydlu yn ein prifddinas ac, yn sicr, buasai wedi llunio englyn tipyn mwy gobeithiol na hwn i Gaerdydd:

> Yn hon ceid nawdd i'n heniaith, — hyd geyrydd
> Bu gwladgarwch unwaith;
> Dir annwyl yr estroniaith,
> Mor oer yw wedi marw'r iaith.

Ymhlith y cerddi roedd amryw o englynion cyfarch ar gardiau Nadolig, rhai a anfonwyd gan fy rhieni at deulu a chyfeillion. Dyfynnaf 'Nadolig 1939', a chofier mai dyma Nadolig cyntaf yr Ail Ryfel Byd:

> Os iraidd Rosyn Saron — a hoeliwyd
> Eilwaith yn ein calon,
> Er y gwaed a'r ergydion
> Cofiwn ei Ŵyl annwyl hon.

Gresyn fuasai peidio â chynnwys hwn hefyd:

> A'r Iôr yn ei dlodaidd grud, — chwi gofiwch
> Gyfaill y cyfanfyd
> Yn ŵr bach; ond iawn i'r byd
> Yw cofio ei dranc hefyd.

Daeth cymaint o gerddi i'r golwg wrth durio ymysg y trysorau, rhai ysgafn a rhai dwys, na wyddwn i ddim amdanynt er gwaethaf y ffaith i mi gael y fraint, yn ystod blwyddyn neu ddwy olaf ei fywyd, o gael fy ngalw drwodd i'r ystafell lle byddai'n encilio weithiau i farddoni. Yno byddwn yn gwrando ar ei gerdd ddiweddaraf yn cael ei darllen a'i hesbonio (os byddai angen) yn ei lais unigryw ei hun.

Cyn terfynu rhaid crybwyll ei gerdd olaf un, sef cywydd i'w feddyg yn hen Ysbyty Môn ac Arfon, Bangor, y diweddar Emyr Wyn Jones. Fe'i hysgrifennodd pan oedd ymron ar ei wely angau ac mewn poenau arteithiol. Er hynny daliodd ei afael, hyd y diwedd, ar ei hiwmor iach, diwenwyn, ei ddawn fel bardd a'i ddiddordeb byw mewn pobl. Gwyddai fod ei feddyg yn bysgotwr brwd. Dyma ddetholiad o'r gerdd:

I Gyfaill o Bysgotwr

Gŵr rhadlon wrth afon yw,
Llywiawdwr brithyll ydyw.
Collodd rai mawr, mawr — rhai mwy
Na henoed gastell Conwy;
Ond campwr yw ef hefyd,
Yn dal rhai bach dela'r byd.

Daw miwsig o bob trobwll,
Chwibanu pêr uwchben pwll;
Teifl gacen at y pennog,
Eithr i'w rwyd ni thry y rôg.
O! feddyg, na bai foddion
I ddenu hen deulu'r don!

Rhof gyngor ar fy ngorwedd
I dad hael y gwael eu gwedd:
I chwi llawer gwell na chast
Yw ffon a hen fleinds ffenast;
Neu ceisiwch er eich cysur
Sach go lew, yn dew fel dur;
Chwi a gewch glamp o sach gwyn
Nas holltir am ryw sylltyn;
Ewch yn araf i'r afon,
Ar draed i raeadrau hon,
Yna pwniwch y penwaig
I'r sach, a chewch orau saig . . .

Pan geir ryw ddydd riteirio
Yn braf at afonydd bro,
Ni awn ein dau yn nawn dydd
O'r helynt ar heolydd
I gadw siop bop heb ei hail
Yn arafwch Brynrefail;
A gwerthu clowts o drowts drud
I Sister Thomas astud;

Gwerthu 'fish' i'r English rôgs,
A'i poeni hefo penogs;
Meingefn fydd y fishmongars
A 'Jones and Jones' ar eu jars.

'Bardd Seilo Bach'

Gyda chymysgedd o falchder a hiraeth yr ysgrifennaf fel hyn am fy nhad. Er nad oeddwn ond ugain oed pan fu farw yn ddyn ifanc pum deg a thair, Gwawr yn ddeunaw a Gwyn yn blentyn deuddeg oed, dal yn fyw iawn mae'r cof amdano. Loes mawr i ni fel teulu oedd colli Gwawr wedyn yn bedwar deg saith mlwydd oed. Roedd didwylledd cymeriad a hiwmor Dad yn gryf iawn ynddi hithau. Cysur o'r mwyaf i mi mewn bywyd ydyw'r ffydd a blannodd ynof, yr un ffydd mewn bywyd y tu draw i'r bedd ag a amlygir yn ei englyn ef ei hun, yr englyn a gerfiwyd ar garreg ei fedd:

Nid bedd yw diwedd y daith, — hyd atom
   Daw eto foregwaith,
  Daw hwyl a gwynfyd eilwaith
Ym môr tragwyddoldeb maith.

Rolant

Cerddi Coffa

Tua'i fedd, Rolant o Fôn a giliodd,
    A gwelwyd yr awron
    Ddaearu un o ddewrion,
    Un mawr ei awen ym Môn.

Ias o'i wefr ym Maeshyfryd, i'r hogiau,
    Fu'n rhwygol am ennyd,
    A'r bardd yn myned o'r byd
    I'w roddi o'n cyrhaeddyd.

Gyr ffrwd lefn afon Cefni ei hislais
    Fel goslef taer weddi
    I'r gwyll, yn awr o'i golli,
    Drwy y nos o draw i ni.

Briallen felen a fydd yn gywrain
    Agored mewn meysydd;
    Anobaith a adnebydd,
    A bro mewn galar yn brudd.

Try haf i Rostrehwfa, ac yno
    Fel ganwaith yr oeda;
    Am ei fawredd myfyria,
    Hoen ei ddydd, a'i Awen dda.

Undydd i Nant y Pandy daw'r adar
    Direidus i ganu;
    Gwn y dônt mewn gynau du,
    Brawd oedd ar awr brydyddu.

Hir eisiau mewn Ymryson a bery
   Am barod ffraethebion,
   A ffrydlif yr hoff, radlon
   Ŵr a fu yn gawr i Fôn.

Roland ni ddaw i'r aelwyd, a mwyach,
   Am awen a gafwyd
   A'r hwyliog ŵr a welwyd,
   Iaith ei gân, hiraeth a gwyd.

Robert Williams (Marian-glas)

*   *   *

Gwerin o lawer goror — yn y Cwrdd,
   Sain cân yn dygyfor,
   Yntau Rolant ar elor
   A'i ddawn dan gaeëdig ddôr.

Ond ni thau'r hwyliau, Rolant, — difyr iawn
   Yn dy fro'r ymlynant;
   Oriau'r hiwmor a'r rhamant
   Eu dwyn ar go'n dyner gânt.

Rhyfedd mor fawr ei afiaith, — twr i'n llên,
   Twrne llys ei dalaith,
   Tynnodd win o rin yr iaith
   A gwefr o eiriau'r gyfraith.

Yn huawdl yn y frawdlys — a selog
   Dros hawliau'r anghenus,
   Heriai y rhai gwatwarus,
   A'u llorio'n llwyr yn y llys.

Ond o'r llys at fwynder llên — y deuai
   A dianc yn llawen
   O we'r ddeddf i froydd hen,
   A hwyl reiol yr Awen.

Gwyddai ef am gynefin — hwnt i'r poen
   Mewn tir pell a chyfrin,
A'r gŵr fu'n arwr gwerin
A droes i'w ffordd dros y ffin.

Gwilym R. Tilsley

⋆   ⋆   ⋆

Rhoes T. D. Roberts, cyfaill oes i Rolant, ei deimladau mewn un englyn:

Holwch pwy o'r plwyfolion — nad yw drist
   Ei drem yma'r awron,
A'r gwylaidd, pur o galon
Werinwr mawr yn nhir Môn

⋆   ⋆   ⋆

Mae sbio'n ôl fel ffliciad ffilm sy'n breuo,
   Fel glaw ar sgrîn, ond eglur ambell glip
Pan fflachia'r hwyl a fu mewn clwb a stiwdio,
   Neu ar dy aelwyd ac ar lawer trip.
Beth am dy sir? Mae'r ydau heddiw'n brinnach,
   Chwalwyd hen ŷd y wlad ynghyd â'r us,
'Dyw crefft dy daid a'th ewyth' ddim yn holliach,
   Sensrwyd dy hiwmor mentrus mwy o'r llys.
Erys ei chreigiau. Darllen gwŷr y morthwyl
   Gofnodion cywasgedig oesau hen,
A lle bo trin cynghanedd, trefnu prifwyl,
   Solet dy 'Graig' o hyd ym mhlygion llên.
Mwyfwy y deui i ffocws er bod swae
Cawodydd diatgofion yn y bae.

Glyndwr Thomas

Yn ei ddyddiadur am 1962, y flwyddyn y bu farw, ychydig iawn a gofnododd ac eithrio'r englyn hwn:

132

Anorffen yw'r gorffennol; — yn hwnnw
Mae'n hanes tragwyddol;
Er swyn a gwae'r presennol,
Y mae'n werth rhoi trem yn ôl.

Cytunwn, rwy'n siŵr, y bu'n werth rhoi trem yn ôl dros fywyd a chyfraniad y bardd-gyfreithiwr Rolant o Fôn. A barnu oddi wrth yr englyn canlynol cafodd ei ddymuniad mewn bywyd:

Oes faith ni ddewisaf i, — na bywyd
Heb awydd addoli;
Chwerwi neb ni charwn i
Na byw'n hen hyd benwynni.